1855

SEBASTOPOL

GUERRA DA CRIMEIA

CONHEÇA NOSSOS LIVROS
ACESSANDO AQUI!

Copyright da tradução e adaptação ©2022 por Ana Luisa Ferreira Torres

Título original: Sevastopol
Textos e imagens originais de domínio público. Reservados todos os direitos desta tradução e produção.

Direitos reservados e protegidos pela lei 9.610 de 19.2.1998.
Nenhuma parte deste livro pode ser reproduzida, arquivada em sistema de busca ou transmitida por qualquer meio, seja ele eletrônico, xérox, gravação ou outros, sem prévia autorização do detentor dos direitos, e não pode circular encadernada ou encapada de maneira distinta daquela em que foi publicada, ou sem que as mesmas condições sejam impostas aos compradores subsequentes.
1ª Impressão 2022

Presidente: Paulo Roberto Houch
MTB 0083982/SP

Coordenação Editorial: Priscilla Sipans
Coordenação de Arte: Rubens Martim
Tradução da adaptação: Ana Luisa Ferreira Torres
Revisão: Cláudia Maria Rajão
Apoio de Revisão: Gabriel Cól

Vendas: Tel.: (11) 3393-7727 (comercial2@editoraonline.com.br)

Impresso no Brasil.
Foi feito o depósito legal.

Direitos reservados ao
IBC — Instituto Brasileiro de Cultura LTDA
CNPJ 04.207.648/0001-94
Avenida Juruá, 762 — Alphaville Industrial
CEP. 06455-010 — Barueri/SP
www.editoraonline.com.br

SUMÁRIO

PREFÁCIO 5

SEBASTOPOL EM DEZEMBRO DE 1854 11

SEBASTOPOL EM MAIO DE 1855 26

SEBASTOPOL EM AGOSTO DE 1855 65

PREFÁCIO

A GUERRA, SEGUNDO LIEV TOLSTÓI

Com o início da guerra da Crimeia em 1853, Liev Tolstói (1828 -1910), na época o futuro grande escritor, estava em serviço militar em Cáucaso, pediu transferência para o exército do Danúbio e entrou no regimento como oficial de artilharia, do quarto bastião, que participou da defesa de Sebastopol, um porto muito importante na costa do Mar Negro onde se desencadeou o conflito militar. A causa da guerra da Crimeia da metade do século XIX eram as pretensões expansionistas do Império Russo e, em especial, de um autocrata decrépito, o czar Nicolau I, que queria iniciar a guerra para distrair a população em relação ao agravamento dos problemas internos. Seria difícil não criar paralelos com a invasão atual da Rússia à Ucrânia e ainda por cima, a campanha militar do Nicolau I desenrolava-se quase no mesmo lugar da guerra atual, da Rússia contra a Ucrânia. A guerra da Crimeia durou de 1853 até 1856, envolvendo, de um lado, o Império Russo e, do outro, o Império Otomano, a Grã-Bretanha, a França e o Reino da Sardenha. O exército do Império Russo passou por uma derrota demolidora, que o obrigou a recuar na Crimeia e a desistir de seus planos de expansão nos Bálcãs. Em compensação, a principal consequência do fracasso na guerra foram as grandes reformas realizadas na Rússia das décadas de 1860 e 1870, iniciadas com a Abolição de Servidão, em 1861. Tais reformas anunciaram o advento de uma nova época: a da modernidade.

Prefácio

Os contos de "Sebastopol", compostos de três ciclos seguidos: "Sebastopol no mês de dezembro", "Sebastopol em maio" e "Sebastopol em agosto de 1855" foi a primeira obra russa sobre a guerra escrita em "tempo real" durante o serviço militar do autor, de maneira que Liev Tolstói se tornasse o primeiro correspondente de guerra – embora em meados do século XIX tal conceito ainda não existisse. E não é de espantar que os contos de Sebastopol tiveram tanta repercussão ao serem publicados: ninguém antes havia escrito sobre a guerra observando-a de dentro, como Tolstói. "Sebastopol no mês de dezembro", ainda não assinado com o nome completo do autor, apenas com as iniciais L.N.T., foi o primeiro relato a ser publicado na revista literária *O Contemporâneo* (*Sovreménnik*). Ao ler o depoimento de Tolstói sobre a Guerra da Crimeia, o editor da revista, Nikolai Nekrássov, escreveu ao autor em 2 de setembro de 1855: "É exatamente disso que a sociedade russa precisa: da *verdade*. (...) Esta *verdade* e o jeito como o senhor a traz para a literatura russa, para nós, é algo completamente novo." E Tolstói vai confirmar esta observação de Nekrássov em seu segundo conto, "Sebastopol em maio", declarando o seguinte: "O herói da minha história, a quem amo com todas as forças da minha alma, a quem tentei expor em toda a sua beleza, e que sempre foi, é e sempre será o mais belo, é *a verdade*". O conceito de verdade formaria as particularidades do gênero de "Sebastopol no mês de dezembro", que seu autor define como *ótcherk* (ensaio), ou seja, como um gênero documental, cuja aspiração essencial dirige-se à verdade, baseia-se em fatos reais e tenta reduzir ao mínimo a invenção criativa ou artística.

O narrador conduz seus leitores pela cidade devastada pela guerra, assim como em *A Divina Comédia*, Virgílio conduziu Dante pelos nove círculos do Inferno. "Você se aproxima do porto", "Olhe nos rostos dessas pessoas", "Ao seu redor já está o mar brilhando ao sol da manhã". O autor, como se estivesse no papel de guia, faz o leitor se tornar participante e testemunha direta do que está acontecendo na Sebastopol sitiada. O escritor chama nossa atenção para vários detalhes do cotidiano da cidade no meio da guerra:

> [...] de um lado passa o socorrista batendo os braços, de outro lado o médico está correndo para o hospital, mais adiante o soldado sai de sua cabana de terra e lava o rosto queimado de sol em água incrustada de gelo

Prefácio

e, virando-se em direção ao leste carmesim, benze-se rapidamente enquanto ora a Deus, e, um pouco mais distante, uma carroça alta e pesada é guiada rangendo até o cemitério para enterrar os mortos ensanguentados, com os quais está carregada quase até o topo. – (página 11)

Nesta montagem dos fatos feita por Tolstói, o leitor logo sente a presença da morte, tanto na "carroça alta e pesada" que "é guiada rangendo até o cemitério para enterrar os mortos ensanguentados", quanto na "carcaça meio decomposta de um cavalo". Mas isso é apenas o início desse passeio sinistro por Sebastopol. Tolstói não poupa absolutamente seus leitores e os leva diretamente para o próximo círculo do inferno:

"Você abre a porta do grande Salão da Assembleia e a visão e o cheiro de quarenta ou cinquenta homens gravemente feridos, alguns deles amputados, alguns em redes, a maioria no chão, de repente o atingem." – (página 14)

E mais adiante:

"Em seguida você para diante de outro inválido, um homem que está deitado no chão e parece estar esperando a morte em agonia intolerável. (...) O odor opressivo de um cadáver o atinge com força, e o fogo interior consumidor que penetrou em cada membro do sofredor parece penetrar em você também." – (página 16)

E isso ainda não é o fim da *via crucis* que os leitores são obrigados a percorrer em "Sebastopol no mês de dezembro":

"Você vê cenas assustadoras e comoventes, você vê a guerra, não de seu lado convencional, belo e brilhante, com música e tambores, com bandeiras esvoaçantes e generais galopando, mas você vê a guerra em sua fase real — no sangue, no sofrimento, na morte." – (página 17)

Todos os horrores que Tolstói faz os seus leitores observarem no hospital – membros amputados, soldados inconscientes e à beira da morte – os obrigam a perceber a desumanidade da guerra, sua crueldade sem sentido. Para Tolstói, a realidade violenta da guerra não se

Prefácio

manifesta no *pathos* de um campo de batalha, mas na dor e nos sofrimentos dos corpos feridos e desmembrados. E como foi dito, Tolstói não quer poupar seus leitores. Ao contrário, ele usa uma particular e supermoderna *estética de choque*, obrigando-nos a olhar diretamente nos olhos da morte, a vivenciar a dor dos feridos como se fosse nossa própria dor e a sentir "o cheiro pesado de um corpo morto". O cheiro horrível da morte, dos corpos em decomposição, torna-se um dos *leitmotivs* de toda a trilogia, aumentando ainda mais o efeito de presença dos leitores no meio da guerra a tal ponto que queremos, igual a um dos personagens, "tapar por causa do cheiro que o vento carregava até ele e parou ao lado de uma pilha de cadáveres que haviam sido levados para fora do campo."

Por meio da expressividade desse detalhe cuidadosamente escolhido, o escritor cria o efeito de nossa presença em Sebastopol e nos faz testemunhar por dentro os horrores e sofrimentos de guerra, sentindo por todos os lados o cheiro de apodrecimento e putrefação que se torna uma metáfora da força destruidora e mortal da guerra. A ideia principal deste ciclo tolstoniano é mostrar que a guerra é monstruosa, que ela traz apenas morte, e o autor quer que nós, leitores, sintamos isso na nossa própria pele. Agora estamos já acostumados com a crueldade atroz das imagens documentais exibidas na TV e no YouTube, mas na metade do século XIX, foi Tolstói quem fez os seus leitores presenciarem como

> quatro marinheiros parados perto dos parapeitos seguravam o corpo ensanguentado de um homem, sem sapatos nem casaco, pelos braços e pernas, e cambaleavam enquanto tentavam arremessá-lo sobre as muralhas.
>
> (No segundo dia do bombardeio, em algumas localidades, foi constatado que era impossível retirar os cadáveres dos baluartes, e assim foram lançados na trincheira, para não impedir a ação das baterias.) – (página 111)

Mas não apenas essas cenas atrozes estão no foco de atenção do autor, ele descreve também episódios sobre a vida cotidiana pacífica, ou seja, de "paz":

Prefácio

"As mulheres vendem pãezinhos, camponeses russos com samovar[1] chamam por um sbíten[2] quente" ou uma "moça que, com medo de molhar o vestido rosa, atravessa a rua saltitando sobre as pedrinhas." – (página 13)

Para Tolstói é importante mostrar o quanto é tênue a fronteira que divide a vida cotidiana do campo de batalha e a que ponto a guerra demonstra completa indiferença ao destino de um indivíduo, transformando-o em uma pequena gota no mar da morte coletiva. Em "Sebastopol no mês de dezembro", Tolstói relata fatos e os agrupa de tal maneira que a todo tempo criam-se paralelismos e contrastes – mais tarde, estes se mostrarão procedimentos literários recorrentes em sua obra – entre as cenas da vida pacífica, do mar, de paisagens magníficas, do mundo de paz, e as terríveis cenas da guerra. Tolstói faz com que os leitores olhem a guerra como algo completamente antinatural, com que *estranhem* a guerra.

Tolstói começa o segundo conto do ciclo da Guerra da Crimeia, "Sebastopol em maio", com o seguinte pensamento: "E a questão não resolvida pelos diplomatas ainda não foi resolvida com pólvora e sangue." Parece tão lógico e tão natural! Como pólvora e sangue podem resolver algo que as conversações não resolveram? O tema da guerra e da paz ressoa com um vigor impressionante em "Sebastopol em maio" e, de novo, Tolstói acentua o contraste entre vida e morte, entre a harmonia primordial da natureza e o terrível desastre de uma guerra provocada pelas violentas e destruidoras ações humanas que, em sua essência, são absolutamente contrárias a este mundo natural.

É impressionante o quanto o olhar de Tolstói é cinematográfico, ou melhor, a que ponto o escritor antecipa a poética da montagem cinematográfica no que diz respeito à maneira como, na tessitura do seu texto, é feita a montagem das imagens que, desprovidas de motivação psicológica interna, manifestam a principal ideia autoral: o horizonte azul celeste, as nuvens rubras, a beleza do mundo, desse Cosmos que promete alegria, amor, felicidade para todos nós, e aqueles que "preenchidos com diversas esperanças e desejos" em apenas duas horas se transformam em "centenas de corpos recentemente manchados de sangue". A experiência militar de Tolstói traz uma compreensão clara e amarga de que

---

1 Utensílio culinário de origem russa utilizado para aquecer água e servir chá
2 Bebida preparada com mel.

Prefácio

todas as vítimas e sacrifícios humanos, todas as mortes trágicas que ele presenciou durante a Guerra de Crimeia foram absolutamente em vão, levando a Rússia apenas à derrota, à derrota vergonhosa. E aqueles jovens que foram à guerra aspirando à gloria dos intrépidos foram heróis tiveram o mesmo fim trágico:

> "Ao longo de toda a linha de baluartes de Sebastopol, que por tantos meses fervilhava de vida extraordinariamente vigorosa, que por tantos meses vira heróis moribundos serem aliviados um após o outro pela morte, e que por tantos meses despertaram o terror, o ódio e finalmente a admiração do inimigo, nos baluartes de Sebastopol não havia mais um único homem. Tudo estava morto, selvagem, horrível, mas não silencioso.
>
> A destruição ainda estava em andamento. Sobre a terra, sulcada e espalhada pelas explosões recentes, jaziam carruagens curvadas, esmagando os corpos dos russos e do inimigo, pesados canhões de ferro silenciados para sempre, bombas e balas de canhão arremessadas com força horrível em covas e meio enterradas no solo, depois mais cadáveres, fossos, estilhaços de vigas, aposentos à prova de bombas e ainda mais corpos silenciosos em casacos das cores cinza e azul." – (página 126)

Com este fortíssimo acorde final Tolstói fecha o último conto do ciclo, "Sebastopol em agosto". Ele foi publicado na primeira edição de *O Contemporâneo,* de 1856, e seu editor, Nikolai Nekrássov, escreveu que a obra "definitivamente convence que o autor é dotado de um talento extraordinário". Trata-se do primeiro texto sobre a guerra que finalmente agradou ao jovem escritor e, por isso, ele decide assinar como Conde L. Tolstói, assim como assinalaria seu grande romance "Guerra e Paz". E pode-se ver como nas páginas de "Sebastopol" já está se formando uma oposição figurativa e semântica de "guerra" e "paz", que receberá sua mais alta expressão neste brilhante romance.

Elena Vássina
Pesquisadora e mestra em Literatura
Comparada pela Faculdade
de Letras da Universidade Estatal
de Moscou Lomonóssov

SEBASTOPOL EM DEZEMBRO DE 1854

O brilho da manhã começa a tingir o céu acima da Montanha Sapun. A superfície azul-escura do mar deixa de lado as sombras da noite e espera o primeiro raio de sol para iniciar um jogo de clarões alegres. Frio e neblina sopram da baía, mas não há neve. Tudo está escuro, mas a geada da manhã atinge o rosto e estala sob os pés, e o rugido distante e incessante do mar, quebrado de vez em quando pelo som de tiros em Sebastopol, sozinho perturba a calma da manhã. Está escuro a bordo dos navios e o sino acaba de bater oito vezes.

Em direção ao norte, as atividades do dia começam gradualmente a substituir a quietude noturna: de um lado passa o socorrista batendo os braços, de outro lado o médico está correndo para o hospital, mais adiante o soldado sai de sua cabana de terra e lava o rosto queimado de sol em água incrustada de gelo e, virando-se em direção ao leste carmesim, benze-se rapidamente enquanto ora a Deus, e, um pouco mais distante, uma carroça alta e pesada é guiada rangendo até o cemitério para enterrar os mortos ensanguentados, com os quais está carregada quase até o topo. Você vai para o cais e um odor peculiar de carvão, esterco, umidade e carne bovina o atinge, milhares de objetos de todos os tipos tais como madeira, carne, farinha, ferro e assim por diante estão amontoados, soldados de vários regimentos, com alforjes e mosquetes, sem alforjes e sem mosquetes, aglomeram-se ali, fumam, brigam, arrastam pesos a bordo do vapor que jaz fumegante ao lado do cais. Barcos de dois remos cheios de todo tipo de gente, entre eles soldados, marinheiros, mercadores e mulheres desembarcam e saem do cais.

"Ao Gráfski, Excelência?" Dois ou três marinheiros aposentados sobem em seus barcos e oferecem seus serviços.

Você escolhe aquele que está mais próximo de você, passa por cima da carcaça meio decomposta de um cavalo marrom que está ali na lama ao lado do barco e chega à popa. Você sai da costa. Ao seu redor está o mar, já brilhando ao sol da manhã. À sua frente está um marinheiro idoso vestindo um casaco de pelo de camelo e um menino jovem de cabeça branca, ambos trabalhando zelosamente e em silêncio nos remos. Você olha para a vastidão heterogênea de navios espalhados por toda parte sobre a baía, para os pequenos pontos pretos de barcos movendo-se sobre a brilhante extensão azul, para os belos e brilhantes edifícios da cidade, tingidos com os raios rosados do sol da manhã. Você repara a espumante linha branca do cais e os navios afundados, dos quais pontas negras de mastros se erguem tristemente aqui e ali. Observa a distante frota do inimigo fracamente visível enquanto balançam no horizonte cristalino do mar e nas raias de espuma, sobre as quais saltam bolhas de sal batidas pelos remos. Você ouve o som monótono de vozes que voam até você sobre a água e os grandes sons de tiros, que, ao que parece, estão aumentando em Sebastopol.

Não pode negar que, ao pensar que você também está em Sebastopol, um certo sentimento de masculinidade e de orgulho não tenham penetrado em sua alma, e que o sangue não tenha começado a fluir mais rapidamente em suas veias.

"Vossa Excelência, você está indo direto para o Kisténtin!", diz o velho marinheiro enquanto se vira para se certificar da direção em que você está guiando o barco, com o leme para a direita.

"E todos os canhões ainda estão nele!", comenta o menino de cabeça branca, lançando um olhar sobre o navio enquanto passamos.

"É claro, é novo. Kornílov morava a bordo dele", disse o velho, também olhando para o navio.

"Veja onde estourou!", disse o menino, depois de um longo silêncio, olhando para uma nuvem branca de fumaça que se espalhava su-

Sebastopol

bitamente no alto da Baía Sul, acompanhada pelo ruído agudo de uma bomba explodindo.

"Ele está atirando hoje com sua bateria nova", acrescenta o velho, cuspindo calmamente nas mãos. "Agora, dê passagem, Michka! Vamos ultrapassar a barca." Logo seu barco avança mais rápido sobre as grandes ondas da baía, e você realmente ultrapassa a barca pesada remada por soldados desajeitados, sobre a qual estão empilhados alguns sacos, e toca o cais Gráfski entre uma multidão de barcos de todo tipo que estão desembarcando.

Multidões de soldados cinzentos, marinheiros negros e mulheres de várias cores se movem ruidosamente ao longo da costa. As mulheres vendem pãezinhos, camponeses russos com samovar choram por um *sbíten* quente, e logo nos primeiros degraus estão espalhadas balas de canhão enferrujadas, bombas e canhões de ferro fundido de vários calibres. Um pouco mais adiante há uma grande praça sobre a qual repousam enormes vigas, carretas, soldados adormecidos, cavalos, carroças, canhões, baús de munição e pilhas de armas. Soldados, marinheiros, oficiais, mulheres, crianças e mercadores circulam, carroças chegam com feno, sacos e barris, aqui e ali passam cossacos, oficiais a cavalo e um general em um drójki. À direita, a rua é cercada por uma barricada, em cujas ameias se ergue um pequeno canhão, e ao lado dele um marinheiro está sentado fumando seu cachimbo. À esquerda, em uma bela casa com cifras romanas no frontão, estão soldados e liteiras manchadas de sangue. Em todos os lugares você consegue ver os sinais enfadonhos de um acampamento de guerra. Sua primeira impressão é inevitavelmente do tipo mais desagradável. As estranhas misturas de vida no campo e na cidade e de um acampamento sujo em uma cidade bonita não são apenas abomináveis, mas também parecem uma desordem repulsiva.

Você supõe que todos estão completamente amedrontados, agitados e sem saber o que fazer, mas, se olhar mais de perto para os rostos dessas pessoas se movendo ao seu redor, você terá uma ideia totalmente diferente. Veja este pequeno soldado da província, por exemplo, levando um trio de cavalos marrons para a água e cochichando algo para si próprio com tanta serenidade. Evidentemente, ele não se perderá na multidão heterogênea, pois ela não existe para ele. Ele está cumprindo seu dever, seja qual for – dar água aos cavalos ou carregar armas – com tanta compostura, autoconfiança e independência, que é como se o estivesse fazendo em Tula ou Saransk. Você vai perceber a mesma expressão no rosto do oficial que passa com luvas brancas imaculadas, no rosto do marinheiro fumando sentado na barricada, nos rostos dos soldados trabalhadores esperando com suas liteiras nos degraus do antigo clube e no rosto daquela moça que, com medo de molhar o vestido rosa, atravessa a rua saltitando sobre as pedrinhas.

O desencanto certamente espera por você, se você estiver entrando em Sebastopol pela primeira vez. Em vão você irá procurar, mesmo que em um único semblante, vestígios de ansiedade, inquietação ou entusiasmo, prontidão para a morte e decisão, mas não encontrará nada disso. Você verá os comerciantes tranquilamente empenhados em seus deveres e atividades, de modo que, eventualmente, você pode censurar-se pelo êxtase supérfluo e carregar dúvidas quanto à justiça das ideias sobre o heroísmo dos defensores de Sebastopol que você formou a partir das histórias, descrições, imagens e sons vindos do lado norte. Mas, antes que você duvide, vá até os baluartes e observe os defensores de Sebastopol no próprio local de defesa, ou, melhor ainda, vá direto para aquela casa que antigamente era a Casa da Assembleia de Sebastopol, em cujo telhado estão soldados com liteiras. Lá você verá os defensores de Sebastopol, lá você verá cenas assustadoras e tristes, grandes e risíveis, mas maravilhosas e que elevam a alma.

Você abre a porta do grande Salão da Assembleia e a visão e o cheiro de quarenta ou cinquenta homens gravemente feridos, alguns deles amputados, alguns em redes, a maioria no chão, de repente o atingem. Não confie no sentimento que o detém no limiar do salão, não se envergonhe de ter vindo olhar para os sofredores, não se envergonhe de se aproximar e se dirigir a eles, pois os infelizes gostam de ver um rosto humano solidário, gostam de contar seus sofrimentos e ouvir palavras de amor e interesse. Você caminha entre as camas e procura um rosto menos severo e sofrido, do qual decide se aproximar com o objetivo de conversar.

"Onde você está ferido?", você pergunta timidamente e com indecisão a um soldado velho e esquelético que, sentado em sua rede, está olhando para você com um olhar bem-humorado e parece convidá-lo a se aproximar. Você pergunta "timidamente e com indecisão" porque esses sofrimentos inspiram em você, além do sentimento de profunda simpatia, o medo de ofender e uma alta reverência pelo homem que os sofreu.

"Na perna", responde o soldado, mas ao mesmo tempo você percebe, pelas dobras da colcha, que ele perdeu a perna acima do joelho. "Graças a Deus, agora receberei minha dispensa."

"Você foi ferido há muito tempo?"

"Foi há seis semanas, Excelência."

"Ainda dói?"

"Não, não sinto mais dor, só uma espécie de coceira na minha panturrilha quando o tempo está ruim, mas isso não é nada."

"Como você foi ferido?"

"No quinto bastião, durante o primeiro bombardeio. Eu tinha acabado de atirar com um canhão e estava me virando para me afastar para outro ponto quando fui atingido na perna. Foi como se eu tivesse caído em um buraco e não tivesse perna."

"Não foi doloroso no primeiro momento?"

"De jeito nenhum, foi apenas como se algo fervendo tivesse atingido minha perna.

"Bem, e então?"

"E então... nada. A pele começou a repuxar como se tivesse sido esfregada com força. A primeira coisa, Excelência, é não pensar. Se você não pensar em uma coisa, isso não significa nada. Os homens sofrem mais por pensar do que por qualquer outra coisa."

Nesse momento, uma mulher com um vestido cinza listrado e um lenço preto amarrado na cabeça se aproxima de você.

Ela se junta à sua conversa com o marinheiro e começa a contar sobre ele, seus sofrimentos, sua condição desesperadora que durou quatro semanas, sobre quando ele foi ferido e fez a liteira parar para que pudesse ver a saraivada de longe e como ele disse que queria voltar ao bastião para dirigir os homens mais jovens, mesmo que ele não pudesse trabalhar. Ao dizer tudo isso em um sopro, a mulher olha ora para você, ora para o marinheiro, que se vira como se não a ouvisse e arranca um fiapo de seu travesseiro enquanto seus olhos brilham com um entusiasmo peculiar.

"Esta é minha dona de casa, Excelência!", o marinheiro diz, com uma expressão que parece significar: "Você deve desculpá-la. Todo mundo sabe que é o jeito de uma mulher. Ela está falando bobagens."

Você começa a entender os defensores de Sebastopol. Por alguma razão, você se sente envergonhado na presença desse homem. Você gostaria de dizer muito a ele, a fim de expressar-lhe sua simpatia e admiração, mas não encontra palavras e fica insatisfeito com as que lhe vêm à cabeça, e o reverencia em silêncio perante a grandeza e firmeza de alma taciturna e inconsciente, esta modéstia perante os seus próprios méritos.

"Bem, que Deus lhe conceda uma rápida recuperação", você diz a ele. Em seguida você para diante de outro inválido, um homem que está deitado no chão e parece estar esperando a morte em agonia intolerável.

Ele é um homem loiro com rosto pálido e inchado. Está deitado de costas e com o braço esquerdo estendido, numa posição que expressa um sofrimento cruel. Sua boca seca e aberta com dificuldade emite sua respiração agonizante, seus olhos azuis e pesados estão arregalados, e os restos de seu braço direito, envolto em bandagens, se projetam debaixo da colcha amassada. O odor opressivo de um cadáver o atinge com força, e o fogo interior consumidor que penetrou em cada membro do sofredor parece penetrar em você também.

"Ele está inconsciente?", você pergunta para uma mulher que se aproxima e olha para você com ternura, como olharia para um parente.

"Não, ele ainda pode nos ouvir, mas está muito mal", acrescenta ela, em um sussurro. "Dei-lhe um chá hoje, – e se for um estranho, deve-se ter pena! – e ele mal provou."

"Como você está se sentindo?", você pergunta a ele.

O ferido vira os olhos ao som de sua voz, mas não o vê nem o entende.

"Há um tormento no meu coração."

Um pouco mais adiante, você vê um velho soldado trocando de roupa. Seu rosto e corpo são de uma espécie de cor marrom-canela e esqueléticos como um cadáver. Ele não tem braço algum, foram cortados na altura dos ombros. Ele está sentado com uma postura ereta e atenta, mas você vê, por seu olhar embotado e vago, sua magreza assustadora e as rugas em seu rosto, que ele é um ser que sofreu durante a maior parte de sua vida.

Sebastopol

Do outro lado, você vê em um leito o rosto pálido, sofrido e delicado de uma mulher, cujas bochechas estão com um rubor febril.

"Essa é a nossa pequena marinheira que foi atingida na perna por uma bomba no dia 5.", seu guia lhe diz. "Ela estava levando o jantar para seu marido no bastião."

"Foi amputada?"

"Eles cortaram acima do joelho."

Agora, se seus nervos estiverem fortes, passe pela porta à esquerda, na sala em que estão fazendo curativos e realizando operações. Lá, você verá médicos com os braços manchados de sangue até acima do cotovelo, com rostos pálidos e severos, ocupados com um leito sobre o qual, com os olhos bem abertos e proferindo, como em delírio, palavras incoerentes, às vezes simples e tocantes, encontra-se um homem ferido sob a influência do clorofórmio. Os médicos estão ocupados com o trabalho repulsivo, mas benéfico, da amputação. Você vê a faca afiada e curva entrar no corpo saudável e branco, e o homem ferido de repente recobra a consciência com um grito lancinante e xingamentos, em seguida, o cirurgião do exército arremessa o braço amputado para um canto. Outro homem ferido, deitado uma liteira na mesma sala, encolhe-se convulsivamente e geme enquanto contempla a operação sendo realizada em seu camarada, não tanto pela dor física quanto pela tortura moral da antecipação.

Você vê cenas assustadoras e comoventes, você vê a guerra, não de seu lado convencional, belo e brilhante, com música e tambores, com bandeiras esvoaçantes e generais galopando, mas você vê a guerra em sua fase real — no sangue, no sofrimento, na morte.

Ao sair desta casa de dor, você experimentará infalivelmente uma sensação de prazer, irá respirar o ar fresco mais plenamente e sentir satisfação na consciência de sua saúde. Mas, ao mesmo tempo, através da visão desses sofrimentos, você terá consciência de seu nada, e irá calmamente e sem qualquer indecisão para o bastião.

"O que significam a morte e os sofrimentos de um verme tão insignificante como eu em comparação com tantas mortes e sofrimentos tão grandes?" Mas a visão do céu claro, do sol brilhante, da bela cidade, da igreja aberta e dos soldados movendo-se em várias direções logo restaura sua mente à sua condição normal de frivolidade, cuidados mesquinhos e absorção apenas no presente.

Talvez você encontre o cortejo fúnebre de algum oficial vindo da igreja com o caixão coberto de rosas, música e bandeiras esvoaçantes. Talvez os sons dos tiros cheguem aos seus ouvidos vindos do bastião, mas isso não o leva de volta aos seus pensamentos anteriores. O funeral lhe parece um espetáculo militar muito bom, mas você não se conecta com esse espetáculo, nem com os sons, nenhuma ideia clara de sofrimento e morte, como fez quando a amputação estava acontecendo.

Passando a barricada e a igreja, chega-se à parte mais animada da cidade. Em ambos os lados estão pendurados os letreiros de lojas e pousadas. Comerciantes, oficiais, mulheres de gorro e lenço, tudo aponta para a firmeza de espírito, a independência e a segurança dos habitantes.

Entre na pousada à direita se quiser ouvir as conversas dos marinheiros e oficiais, pois as histórias da noite anterior, do caso do dia 24, da ternura e maldade das costeletas, e de tal e tal camarada que foram mortos, com certeza estarão em andamento.

"Diabo, como as coisas estão ruins para nós hoje!", ouve-se a voz grave de um jovem oficial da marinha, com sobrancelhas e cílios brancos, em uma faixa de malha verde.

"Onde?", pergunta outro.

"No quarto bastião", responde o jovem oficial, e você certamente olhará para ele e seus cílios brancos com grande atenção e até com algum respeito. Sua excessiva desenvoltura, a maneira como ele agita as mãos, sua risada alta e sua voz, que lhe parece insolente, revelam a você aquele estado de espírito peculiar e arrogante que alguns jovens adquirem após o perigo. Você acha que ele está prestes a dizer quão ruins são as condições das coisas no quarto bastião por causa das bombas e tiros. Nada do tipo! Ele acha as coisas ruins porque a área é lamacenta. "É impossível passar pela fortificação", diz ele, apontando para as botas, cobertas de lama até a panturrilha. "Meu melhor capitão de armas foi morto hoje, atingido na testa", diz outro homem. "Quem é aquele? Mitiúkhin?" "Não! E agora, vão me servir um pouco de vitela? Vilões!", ele acrescenta ao funcionário da pousada. "Não Mitiúkhin, mas Abrósimov. Que bom rapaz! Ele estava no sexto ataque."

Em outro canto da mesa, sobre um prato de costeletas com ervilhas e uma garrafa de vinho azedo da Crimeia chamado "Bordeaux", estão sentados dois oficiais de infantaria. O de colarinho vermelho, jovem e com duas estrelas no casaco, conta ao outro, de colarinho preto e sem estrelas, o caso de Alma. O primeiro já bebeu bastante, e é evidente, pelas interrupções em sua narrativa, pelo seu olhar indeciso que expressa dúvida sobre se ele é acreditado, e principalmente pelo papel proeminente que ele desempenhou e do horror excessivo de tudo isso, que ele está fortemente inclinado a dar testemunho estrito da verdade. Mas essas histórias, que você ouvirá por muito tempo em todos os cantos da Rússia, não são nada para você, pois você prefere ir aos bastiões, sobretudo ao quarto bastião, do qual ouviu tantas e tão diversas coisas. Quando alguém diz que esteve no quarto bastião, o diz com um ar peculiar de orgulho e satisfação. Quando alguém diz: "Vou para o quarto bastião", uma pequena agitação ou uma grande indiferença é infalivelmente perceptível. Quando alguém quer brincar com outro, diz: "Você deve estar posicionado no quarto bastião". Quando você encontra ninhadas e pergunta de onde elas vêm, a resposta geralmente é: "Do quarto bastião". No conjunto, existem duas opiniões totalmente diferentes sobre este terrível bastião: uma é mantida por aqueles que nunca estiveram nele e que estão convencidos de que ele é uma sepultura regular para todos que nela entram, e a outra por aqueles que vivem nele, como o aspirante de cílios brancos, e que, quando o mencionam, lhe dizem se lá está seco ou enlameado, quente ou frio e assim por diante.

Durante a meia hora que você passou na pousada, o tempo mudou. O nevoeiro que antes se espalhava sobre o mar se acumulou em nuvens úmidas, pesadas e cinzentas e encobriu o sol, uma espécie de neblina melancólica e gelada se espalhou de cima, molhando os telhados, as calçadas e os sobretudos dos soldados.

Passando por mais uma barricada, você sai pela porta à direita e sobe a rua principal. Atrás dessa barricada, as casas estão desocupadas dos dois lados da rua, não há placas, as portas estão cobertas de tábuas, as janelas estão arrombadas, os cantos estão quebrados e os telhados perfurados. Os prédios são velhos, passaram por todo tipo de adversidade e privações características dos veteranos e parecem olhar para você com orgulho e um pouco de desprezo. Você tropeça nas balas de canhão que se espalham pelo caminho e em buracos cheios de água, que foram escavados no solo pedregoso pelas bombas. Na rua você encontra e ultrapassa corpos de soldados, atiradores e oficiais. De vez em quando você encontra uma mulher ou uma criança, mas não é mais uma mulher com um gorro, e sim a filha de um marinheiro com uma velha capa de pele e botas de soldado. À medida que você avança pela rua e desce um pequeno declive, você observa que não há mais casas ao seu redor, mas apenas alguns estranhos montes de pedras em ruínas, tábuas, barro e vigas. À sua frente, em uma colina íngreme, você reconhece uma extensão de terra negra e lamacenta, cortada por canais, e então percebe que está na frente do quarto bastião. Aqui você encontra ainda menos pessoas, não se vê nenhuma mulher, os soldados andam rapidamente, você encontra gotas de sangue na estrada, e certamente encontrará ali quatro soldados carregando uma maca e sobre a maca um rosto pálido e um uniforme manchado de sangue. Se você perguntar onde ele está ferido, os carregadores responderão com raiva, sem se voltar para você: "Na perna ou no braço" se ele estiver levemente ferido, ou manterão um silêncio sombrio se nenhuma cabeça estiver visível na maca e ele já estiver morto ou gravemente ferido.

O guincho de uma bala de canhão ou de uma bomba perto o surpreende desagradavelmente enquanto você sobe a colina. Você entende de uma só vez, e de maneira bem diferente do que antes, o significado daqueles sons de tiros que você ouviu na cidade. Uma lembrança silenciosamente alegre pisca de repente diante de sua imaginação, sua própria personalidade começa a ocupá-lo mais do que suas observações, sua atenção a tudo o que o cerca diminui, e um certo sentimento desagradável de incerteza subitamente o domina. Apesar dessa voz decididamente baixa que de repente fala dentro de você, ao ver o perigo, você a força a se calar, especialmente quando você olha para um soldado que passa correndo por você, acenando com as mãos e escorregando a colina na lama, e você involuntariamente expande o peito, joga a cabeça um pouco mais para cima e sobe a colina escorregadia e argilosa. Assim que você chega ao topo, balas de fuzil começam a zunir à sua direita e à sua esquerda e, possivelmente, você começa a refletir se não entrará na trincheira que corre paralela à estrada, mas a trincheira está cheia de uma lama tão amarela, líquida e fétida, chegando à altura dos joelhos, que você escolherá infalivelmente o caminho da colina. Depois de percorrer algumas centenas de passos, você emerge em uma extensão lamacenta, toda arada e cercada por todos os lados por gabiões, terraplenagem, plataformas e cabanas de terra, sobre as quais se erguem grandes canhões de ferro fundido e balas de canhão em simétricos montes. Tudo isso parece estar amontoado sem qualquer objetivo, conexão ou ordem. Aqui na fortificação está um grupo de marinheiros, ali no meio do terreno, meio enterrado na lama, jaz um canhão quebrado. Mais adiante, um soldado de infantaria, com sua espingarda, está marchando pela fortificação e arrastando os pés com dificuldade pelo solo pegajoso. Mas em todos os lugares, em todos os lados, em todos os cantos, você pode ver pratos quebrados, bombas não detonadas, balas de canhão, sinais de acampamento, tudo afundado na lama líquida e viscosa. Você ouve não muito longe o baque de um tiro de canhão. Por todos os lados você pode ouvir os sons variados de balas, zumbindo como abelhas, assobiando agudamente, ou em um ganido como uma corda, você ouve o rugido assustador da fuzilaria, que parece sacudir você com algum medo horrível.

"Então é isso, o quarto bastião, é isso. Que lugar terrível, realmente assustador!", você pensa consigo mesmo e experimenta uma pequena sensação de orgulho e uma sensação muito grande de terror reprimido. Mas você está enganado, este não é o quarto bastião. É o reduto de Iazonóvski, um lugar relativamente seguro e nada terrível.

Para chegar ao quarto bastião, vira-se à direita, pela trincheira estreita por onde passou o soldado de infantaria. Nesta trincheira talvez você encontre novamente macas, marinheiros e soldados com pás. Você verá o superintendente das minas, túneis de barro por onde apenas dois homens podem passar curvando-se, atiradores dos batalhões do Mar Negro trocando seus sapatos, comendo, fumando seus cachimbos e vivendo, e você ainda verá por toda parte aquela mesma lama fedorenta, vestígios de um acampamento e restos de ferro descartados em todas as formas possíveis. Prosseguindo mais trezentos passos, você emergirá novamente em uma fortificação, um espaço aberto, coberto de terra, buracos e cercado por gabiões, canhões e terraplenagem. Aqui você verá talvez cinco marinheiros jogando cartas sob o abrigo dos parapeitos e um oficial da marinha que, percebendo que você é um recém-chegado curioso, mostrará com prazer seus arranjos domésticos e tudo o que possa lhe interessar.

Esse oficial enrola um cigarro de papel amarelo para si mesmo com tanta compostura enquanto porta uma arma, anda tão calmamente de um canto a outro, conversa com você tão baixinho, sem a menor afetação, que, apesar das balas que zumbem acima de você ainda mais densamente do que antes, você fica calmo, questiona com atenção e ouve as respostas do oficial.

Este oficial lhe dirá, mas somente se você perguntar a ele, sobre o bombardeio do dia 5. Ele lhe dirá como apenas uma arma em seu bastião poderia ser usada, e de todos os artilheiros que serviram apenas oito permaneceram, e como, porém, na manhã seguinte, dia 6, disparou todas as armas. Ele lhe contará como uma bomba caiu sobre a cabana de terra de um marinheiro no dia 5 e derrubou onze homens. Ele lhe mostrará as fortificações e trincheiras do inimigo, que não estão a mais de trinta ou quarenta braças de distância deste ponto. Receio, no entanto, que, sob a influência das balas zunindo, você possa se lançar para fora do vão para ver o inimigo. Você não verá nada, e, se vir alguma coisa, ficará muito surpreso que aquela parede de pedra que está tão perto de você e da qual a fumaça branca sobe em baforadas é o inimigo – ele, como dizem os soldados e os marinheiros.

É até bem possível que o oficial da marinha queira disparar um ou dois tiros na sua presença, por pura vaidade ou para seu próprio prazer. "Envie o capitão e sua tripulação para o canhão." Quatorze marinheiros aproximam-se do canhão, rápida e alegremente, e o carregam, um enfiando o cachimbo no bolso, outro mastigando um biscoito, outro ainda batendo os calcanhares na plataforma.

Observe os rostos, o porte, os movimentos desses homens. Em cada ruga daqueles rostos queimados de sol, com suas maçãs dos rostos salientes, em cada músculo, na largura daqueles ombros, na robustez daquelas pernas calçadas em enormes botas, em cada gesto calmo, firme, deliberado, esses traços principais que constituem o poder da Rússia – simplicidade e franqueza – são visíveis, mas aqui, em todos os rostos, parece-lhe que o perigo, a miséria e os sofrimentos da guerra deixaram, além dessas características principais, traços de consciência de valor pessoal, emoção e pensamento exaltado.

De repente, um rugido assustador, que abala não apenas seus órgãos auditivos, mas todo o seu ser, o apavora tanto que você estremece completamente. Então você ouve o som distante do tiro enquanto ele segue seu curso e a densa fumaça da pólvora esconde de você a plataforma e as figuras negras dos marinheiros que estão se movendo sobre ela. Você ouve vários comentários dos marinheiros em referência a esse tiro, e você vê a animação deles e a exibição de um sentimento que você não esperava sentir – um sentimento de malícia e de vingança contra o inimigo que está escondido na alma de cada homem. "Atingiu o vão, parece ter matado dois homens. Veja, eles os levaram!", você ouve em exclamação alegre. "E agora eles estão com raiva, eles vão atirar em nós diretamente", diz alguém e, de fato, logo depois você vê um clarão à sua frente e fumaça. A sentinela que está de pé no parapeito grita "Canhão!" E então a bola passa por você, atinge a terra e espalha uma chuva de sujeira e pedras para todo lado.

Esta bola enfurece o comandante e ele ordena que uma segunda e uma terceira arma sejam carregadas. O inimigo também começa a responder, e você experimenta uma sensação de interesse, ouve e vê coisas significativas. Novamente a sentinela grita: "Canhão!" E você ouve o mesmo barulho e sente o mesmo golpe, a mesma chuva de destroços e sujeira. Ele novamente grita "Bomba!" E você ouve o assobio monótono, até mesmo agradável da bomba, com o qual é difícil conectar o pensamento de horror. Você ouve este apito se aproximando de você e aumentando de velocidade, então você vê a esfera negra, o impacto no chão, a explosão retumbante da bomba que pode ser sentida. Com o apito e o grito, estilhaços voam novamente, pedras zumbem pelo ar e lama cai sobre você. Ao ouvir esses sons, você experimenta uma estranha sensação de prazer e, ao mesmo tempo, de terror. No momento em que você souber que o projétil está voando em sua direção, infalivelmente ocorrerá a você que esse tiro o matará, mas o sentimento de amor-próprio o sustenta, e ninguém percebe a faca que está cortando seu coração. Quando o tiro passa sem tocar em você, você se anima e um certo sentimento alegre e inexprimível o domina, mas apenas por um momento, de modo que você descobre um tipo peculiar de encanto no perigo, neste jogo de vida e morte. Você passa a desejar que balas de canhão ou bombas caiam cada vez mais perto de você.

Mas novamente a sentinela gritou com sua voz alta e grossa: "Bomba!" Novamente há um grito e uma bomba explode, mas com esse barulho vem o gemido de um homem. Você se aproxima do homem ferido ao mesmo tempo que os demais. Ele tem um aspecto estranho, desumano e está coberto de sangue e lama. Uma parte do peito do marinheiro foi arrancada. Nos primeiros momentos, só se vê em seu rosto enlameado o medo e uma certa expressão simulada e prematura de sofrimento, peculiar aos homens nessa condição. Mas, ao mesmo tempo, quando a maca é trazida e ele é colocado sobre ela em seu lado sadio, você observa que essa expressão é substituída por uma expressão de exaltação e pensamento elevado, inexprimível. Seus olhos brilham mais, seus dentes estão cerrados, sua cabeça é erguida com dificuldade e, enquanto eles o levantam, ele para os carregadores e diz a seus companheiros, com dificuldade e com voz trêmula: "Adeus, irmãos!" Ele tenta dizer algo mais, e é claro que ele quer dizer algo comovente, mas ele repete mais uma vez: "Adeus, irmãos!"

Nesse momento, um dos seus companheiros aproxima-se dele, põe na cabeça o boné que o ferido lhe estende e, acenando com a mão com indiferença, volta calmamente para a sua espingarda. "É assim com sete ou oito homens todos os dias", diz o oficial da marinha para você, em resposta à expressão de horror que apareceu em seu semblante, enquanto ele boceja e enrola mais um cigarro de papel amarelo.

Assim, você viu os defensores de Sebastopol, no próprio cenário da defesa, e volta sem prestar atenção, por uma razão ou outra, às balas de canhão e bombas que continuam a guinchar durante todo o caminho até chegar ao teatro arruinado – você procede com compostura e com sua alma em estado de exaltação.

A principal e animadora convicção que você formou é a impossibilidade de o povo russo vacilar em qualquer lugar, e essa impossibilidade você não discerniu na multidão de travessas, parapeitos, trincheiras artisticamente entrelaçadas, minas e munições empilhadas, das quais você não compreendeu nada. Você a discerniu nos olhos, na fala, nas maneiras, no que é chamado de espírito dos defensores de Sebastopol. O que eles estão fazendo eles fazem tão simplesmente, com tão pouco esforço e dificuldade, que você está convencido de que eles podem fazer cem vezes mais, que eles podem fazer qualquer coisa. Você entende que o sentimento que os faz funcionar e seguir em frente não é um sentimento de mesquinhez, ambição e esquecimento como os que você mesmo experimentou, mas um sentimento diferente, mais poderoso, que faz deles homens que vivem com sua compostura ordinária sob o fogo de canhão, em meio a centenas de chances de morte. Os homens não aceitaram essas condições assustadoras por causa de uma cruz, de um título, ou de ameaças. Deve haver outro grande incentivo como causa, e essa causa é o sentimento que raramente aparece, do qual um russo se envergonha, aquele que está no fundo da alma de cada homem: o amor por seu país.

Nas histórias dos primeiros dias do cerco de Sebastopol, quando ainda não havia fortificações ou exército, já não existia a menor dúvida de que ele não se renderia. Foi dito por aquele herói digno da Grécia Antiga, Kornílov, enquanto revisava o exército: "Morreremos, crianças, mas não renderemos Sebastopol." E nossos russos, que não estão preparados para fazer frases, responderam: "Nós vamos morrer! Viva!" Só agora as histórias daquela época deixaram de ser para você as mais belas lendas históricas e se tornaram fatos dignos de crença. Você compreende claramente, você consegue imaginar aqueles homens que você acabou de ver como os próprios heróis daqueles tempos dolorosos, que não caíram, mas foram ressuscitados pelo espírito, e se prepararam com alegria para a morte, não por amar a cidade, mas o país. Estes acontecimentos em Sebastopol, cujos heróis eram o povo russo, deixarão vestígios poderosos na Rússia por muito tempo.

A noite já está caindo. O sol emergiu das nuvens cinzentas que cobrem o céu pouco antes de se pôr, e de repente iluminou com um brilho carmesim o mar esverdeado coberto de navios e barcos balançando nas ondas regulares, os edifícios brancos da cidade e as pessoas que circulam pelas suas ruas. Sons de alguma velha valsa tocada pela banda regimental e os tiros dos canhões ecoam estranhamente e são transportados através da água.

SEBASTOPOL EM MAIO DE 1855

I

Seis meses se passaram desde que a primeira bala de canhão assobiou dos baluartes de Sebastopol e arou a terra nas obras do inimigo. Desde aquele dia milhares de bombas, balas de canhão e balas de fuzil voam incessantemente dos baluartes nas trincheiras, e o anjo da morte nunca deixou de pairar sobre eles.

Milhares de homens ficaram desapontados em satisfazer sua ambição, outros milhares conseguiram satisfazer a sua e encher-se de orgulho, enquanto outros milhares repousam no abraço da morte. Quantos caixões vermelhos e toldos de lona foram utilizados! E ainda os mesmos sons ecoam dos baluartes, e ainda em noites claras os franceses espreitam de seu acampamento, com tremor involuntário, os baluartes amarelos e sulcados de Sebastopol, as formas negras de nossos marinheiros movendo-se sobre eles e contando as canhoneiras e os canhões de ferro que deles se projetam furiosamente. O suboficial ainda olha pelo telescópio, do alto da estação de telégrafo, as figuras escuras dos franceses em suas fortificações, em suas tendas sobre a colina verde e entre as nuvens de fumaça que saem das trincheiras. Uma multidão de homens formada por diversas raças ainda pode ser vista com o mesmo ardor de sempre, e com desejos ainda mais diferentes do que suas raças, para este

Sebastopol

local fatídico. E a questão não resolvida pelos diplomatas ainda não foi resolvida com pólvora e sangue.

II

No bulevar da cidade sitiada de Sebastopol, não muito longe do pavilhão, a banda do regimento tocava e uma multidão de militares e mulheres moviam-se alegremente pelas ruas. O sol brilhante da primavera havia nascido de manhã sobre as obras dos ingleses, passado sobre os bastiões, sobre a cidade, sobre o quartel de Nikoláevski e, iluminando a todos com igual alegria, agora afundava no mar azul e distante que estava iluminado com um brilho prateado enquanto se agitava em paz.

Um oficial de infantaria alto e um tanto curvado, que estava puxando na mão uma luva apresentável, se não inteiramente branca, saiu de uma das pequenas cabanas navais construídas no lado esquerdo da rua Morskayav, e, olhando pensativo para o chão, subiu a ladeira até o bulevar.

A expressão do semblante caseiro desse oficial não indicava nenhuma grande capacidade mental, mas sim simplicidade, julgamento, honra e tendência ao valor sólido. Ele era mal construído, não era gracioso, e parecia ter seus movimentos limitados. Ele estava vestido com um pequeno gorro gasto, um manto de um tom bastante peculiar de lilás sob cuja borda era visível o ouro de uma corrente de relógio, calças com tiras e botas de couro de bezerro brilhantemente polidas. Poderia ser alemão, mas suas feições indicavam claramente sua descendência puramente russa. Parecia ou um ajudante ou um intendente de regimento, só que nesse caso ele teria esporas, ou talvez era um oficial que havia trocado a cavalaria pelo período da campanha, ou possivelmente era membro dos Guardas. Era, de fato, um oficial que havia trocado a cavalaria, e ao subir o bulevar, meditava sobre uma carta que acabara de receber de um antigo camarada, agora proprietário de terras aposentado, e sua esposa, a pálida Natacha de olhos azuis, sua grande amiga. Ele se lembrou de uma passagem da carta, na qual seu camarada dizia:

"Quando nosso *jornal militar* chega, Pupka (este era o nome pelo qual o aposentado chamava sua esposa) corre para o vestíbulo, pega o material e corre com ele para o assento no caramanchão (onde, se você se lembra, você e eu passamos tão deliciosas noites de inverno quando o regimento estava estacionado em nossa cidade), e lemos seus feitos heroicos com tanto ardor que é impossível para você imaginar. Ela muitas vezes fala de você. 'Lá está Mikáilov', diz ela, '*ele é um amor de homem*. Estou pronta para beijá-lo quando o vir. Ele luta nos baluartes, certamente receberá a Cruz de São Jorge e será falado nos jornais...' e assim por diante, de modo que estou realmente começando a ficar com ciúmes de você."

Em outra parte da carta, ele escreveu: "Os jornais chegam até nós com um atraso assustador e, embora haja muitas notícias transmitidas de boca em boca, nem todas são confiáveis. Por exemplo, *as moças da música*, conhecidas suas, diziam ontem que Napoleão já havia sido capturado por nossos cossacos e que havia sido enviado a Petersburgo, mas você compreenderá o quanto eu acredito nisso. Além disso, um viajante de Petersburgo nos disse (ele foi enviado a negócios especiais pelo ministro, é uma pessoa muito agradável e, agora que não há ninguém na cidade, ele é mais um *recurso* para nós do que você pode imaginar) ser um fato que nossas tropas tomaram Eupatória, de modo que *os franceses não têm qualquer comunicação com Balaclava*. Disse também que neste combate duzentos dos nossos foram mortos, mas que os franceses perderam quinze mil. Minha esposa estava tão extasiada com isso que *bebeu a noite toda*, e ela declara que seu instinto lhe diz que você certamente participou desse caso e que você se destacou."

Além dessas palavras, das expressões que coloquei propositalmente em itálico e de todo o tom da carta, o capitão Mikháilov lembrou, com inexprimível e triste alegria, sua pálida amiga nas províncias e como ela se sentava com ele no caramanchão à noite e falava sobre sentimentos. Também pensou em seu bom camarada, o uhlan – soldado de cavalaria – e em como este ficou zangado ao perder quando eles jogaram cartas em seu escritório, e como a esposa rira deles. Ele se lembrou da amizade dessas duas pessoas, cujos rostos esvoaçavam diante de sua mente em uma luz maravilhosamente doce, alegremente rosada, e, sorrindo de suas reminiscências, ele colocou a mão no bolso que continha a carta tão querida para ele.

Das reminiscências, o capitão Mikháilov passou involuntariamente aos sonhos e esperanças. "E qual será a alegria e o espanto de Natacha", ele pensou, enquanto caminhava pela rua estreita, "quando ela de repente

Sebastopol

lê no jornal uma descrição de como eu fui o primeiro a subir no canhão, e que recebi o George! Certamente serei promovido à capitania plena, em virtude da antiguidade. Então é bem possível que eu consiga o grau de major na fila, neste mesmo ano, porque muitos de nossos irmãos já foram mortos, e muitos mais estarão nesta campanha. Depois disso haverá mais assuntos em mãos, e um regimento me será confiado, já que sou um homem experiente... tenente-coronel... a Ordem de Santa Ana no meu pescoço... coronel!" E já era general, concedendo entrevista a Natacha, a viúva de seu camarada, que, segundo seus sonhos, já teria morrido naquela época, quando os sons da música do bulevar penetravam mais distintamente em sua mente e ouvidos. A multidão de pessoas chamou sua atenção e ele se viu no bulevar, um capitão da infantaria como antes.

III

Dirigiu-se em primeiro lugar ao pavilhão, onde se encontravam os músicos, para quem outros soldados do mesmo regimento seguravam as notas na ausência de suportes, e ao redor do qual havia um círculo formado por cadetes, enfermeiras e crianças, mais concentrados em ver do que em ouvir. Ao redor do pavilhão ficavam, sentavam-se ou caminhavam marinheiros, ajudantes e oficiais de luvas brancas. Ao longo da grande avenida do bulevar passavam oficiais de todos os tipos e mulheres de todos os tipos, raramente de touca, a maioria com lenço na cabeça (algumas não tinham touca nem lenço), mas ninguém era velho, e era digno de nota que todos eram jovens criaturas alegres. Mais além, nas ruelas sombrias e perfumadas de acácias brancas, grupos isolados caminhavam e sentavam-se.

Ninguém ficou especialmente encantado ao encontrar o capitão Mikháilov no bulevar, com exceção, possivelmente, do capitão de seu regimento, Objógov, e do capitão Súslikov, que apertou sua mão calorosamente. O primeiro estava vestido com calças de pelo de camelo, sem luvas e com um casaco surrado, e seu rosto estava muito vermelho e coberto de suor. O segundo gritava de forma tão alta e incoerente que era mortificante andar com ele, principalmente na presença dos oficiais de luvas brancas (com um dos quais o capitão do Estado-Maior Mikháilov trocou reverências, e que poderia ter reverenciado outro oficial do Estado-Maior, já que o encontrara duas vezes na casa de um conhecido em comum). Além disso, que prazer lhe dava passear com esses dois cavalheiros, Objógov e Súslikov, quando já os havia encontrado e apertado a mão seis vezes naquele dia? Não foi para isso que ele veio.

Ele queria se aproximar do ajudante com quem havia trocado mesuras e conversar com esses oficiais, não para permitir que os capitães Objógov e Súslikov e o tenente Pachtétski o vissem conversando com eles, mas simplesmente porque eram pessoas agradáveis, e, além do mais, eles sabiam da notícia e a teriam contado.

Mas por que o capitão Mikháilov está com medo e por que ele não consegue se decidir sobre abordá-los? "E se eles, de uma só vez, se recusarem a me reconhecer?", ele pensa. "Ou, uma vez tendo se curvado para mim, e se eles continuarem sua conversa entre si, como se eu não existisse, ou se afastarem completamente de mim, me deixando ali sozinho entre os aristocratas?" A palavra aristocratas (no sentido de um círculo mais elevado e seleto, em qualquer nível de vida) adquiriu há algum tempo entre nós, na Rússia, uma grande popularidade e penetrou em todas as localidades e em todas as classes da sociedade que a vaidade alcançou: entre comerciantes, funcionários, escritores e oficiais, para Sarátov, para Mamadich, para Vínista, e em todos os lugares onde existem homens.

Para o capitão Objógov, o capitão do Estado-Maior Mikháilov era um aristocrata. Para o capitão Mikháilov, o ajudante Kalúguin era um aristocrata, porque ele era um ajudante, e estava em pé de igualdade com os outros ajudantes a ponto de chamá-los de "tu". Para o ajudante Kalúguin, o conde Nórdov era um aristocrata, porque era ajudante da equipe do imperador.

Vaidade! Vaidade! Vaidade em todos os lugares, mesmo à beira da sepultura e entre homens prontos para morrer pelas mais altas convicções. Vaidade! Deve ser um traço característico e uma doença peculiar do nosso século. Por que nunca se ouviu falar entre os homens de outrora, dessa paixão, mais do que da varíola ou da cólera? Por que Homero e Shakespeare falaram de amor, de glória, de sofrimento, enquanto a literatura de nossa época não passa de uma narrativa sem fim sobre esnobes e vaidade?

O capitão do Estado-Maior passou duas vezes indeciso pelo grupo de seus aristocratas, e na terceira vez fez um esforço sobre si mesmo e foi até eles. Esse grupo consistia em quatro oficiais: o ajudante Kalúguin, que era um conhecido de Mikháilov, o ajudante príncipe Gáltsin, que era uma espécie de aristocrata até mesmo para o próprio Kalúguin, o coronel Nefiórdov, um dos chamados cento e vinte e dois homens do mundo (que havia entrado no serviço para esta campanha, da lista de aposentados), e o capitão de cavalaria Praskúkhin, também um dos cento e vinte e dois. Felizmente para Mikháilov, Kalúguin estava de muito bom humor (o general acabara de falar com ele de maneira muito confidencial). O príncipe Gáltsin, que acabara de chegar de Petersburgo, não considerou abaixo de sua dignidade dar a mão ao capitão Mikháilov, o que Praskúkhin, no entanto, não conseguiu se decidir a fazer, embora encontrasse Mikháilov com muita frequência no bastião, bebeu o vinho e a vodca deste último e até lhe devia vinte rublos. Como ainda não conhecia muito bem o príncipe Gáltsin, não quis se acusar, na presença deste, de conhecer um simples capitão de infantaria. Curvou-se ligeiramente para o último.

"Bem, capitão", disse Kalúguin, "quando iremos novamente ao bastião? Você se lembra de como nos conhecemos no reduto de Chvartz, estava quente lá, hein?"

"Sim, estava quente", disse Mikháilov, lembrando-se de como naquela noite, enquanto caminhava pelas trincheiras até o bastião, encontrou Kalúguin, que caminhava como um herói, batendo valentemente sua espada. "Eu deveria ir lá amanhã, de acordo com os arranjos atuais, mas temos um homem doente", prosseguiu Mikháilov, "um oficial, como..."

Ele estava prestes a relatar que não era sua vez, mas, como o comandante da oitava companhia estava doente e a companhia tinha apenas uma corneta, ele considerou seu dever se oferecer no lugar do tenente Nepshisetzky, e estava, portanto, indo para o bastião hoje. Mas Kalúguin não o ouviu.

"Tenho a sensação de que algo vai acontecer dentro de alguns dias", disse ele ao príncipe Gáltsin.

"E não haverá algo hoje?", perguntou Mikháilov, olhando primeiro para Kalúguin, depois para Gáltsin.

Ninguém lhe deu nenhuma resposta. O príncipe Gáltsin limitou-se a franzir um pouco a testa, passou os olhos pelo chapéu do outro e, depois de manter silêncio por um momento, disse:

"Essa é uma garota magnífica, a de lenço vermelho. Você a conhece, não é, capitão?

"Ela mora perto de meus aposentos, é filha de um marinheiro", respondeu o capitão.

"Vamos, vamos dar uma boa olhada nela."

E o príncipe Gáltsin enlaçou um braço no de Kalúguin, o outro no do capitão do Estado-Maior, convencido de antemão de que não poderia dar a este último gratificação maior, o que era, de fato, bem verdade.

O capitão do Estado-Maior era supersticioso e considerava um grande pecado ocupar-se com mulheres antes de uma batalha, mas nessa ocasião ele fingiu ser um homem vicioso, o que o príncipe Gáltsin e Kalúguin evidentemente não acreditaram, e que espantou muito a garota do lenço vermelho, que mais de uma vez observara como o capitão do Estado-Maior corava ao passar por ela. Praskúkhin andava atrás e continuava tocando o príncipe Gáltsin com a mão e fazendo vários comentários em francês, mas como uma quarta pessoa não podia andar no pequeno caminho, ele foi obrigado a andar sozinho, e foi apenas na segunda rodada que ele pegou o braço do bravo e conhecido oficial da marinha Serviáguin, que havia se aproximado e falado com ele, e que também desejava ingressar no círculo dos aristocratas. E o galante jovem alegremente enfiou sua mão honesta e musculosa no cotovelo de um homem que era conhecido por todos, e até bem conhecido por Serviáguin, como não muito bom. Quando Praskúkhin, explicando ao príncipe que conhecia aquele marinheiro, sussurrou-lhe que este era bem conhecido por sua bravura, o príncipe Gáltsin, tendo estado no quarto bastião na noite anterior, tendo visto uma bomba explodir a vinte passos dele, considerando-se não menos herói do que este cavalheiro e pensando que muitas reputações são adquiridas imerecidamente, não prestou atenção especial a Serviáguin.

Foi tão agradável para o capitão Mikháilov andar nesta companhia que ele esqueceu a querida carta de T—, e os pensamentos sombrios que o assaltaram ao lembrar de sua partida iminente para o bastião. Ficou com eles até que começaram a conversar exclusivamente entre si, evitando seus olhares, dando-lhe a entender que poderia ir, e finalmente o abandonaram por completo. Mas o capitão do Estado-Maior estava contente, no entanto, e ao passar por junker Barão Pest, que tinha sido particularmente arrogante e presunçoso desde a noite anterior quando foi a primeira noite que ele passou na prova de bomba do quinto bastião e por isso se considerava um herói, não se ofendeu minimamente com a expressão presunçosa com que o homem se endireitou e tirou o chapéu diante dele.

IV

Mais tarde, quando o capitão do Estado-Maior cruzou o limiar de seus aposentos, pensamentos totalmente diferentes entraram em sua mente. Ele olhou ao redor de seu pequeno quarto com o piso de terra irregular e viu as janelas todas tortas, coladas com papel. Viu sua velha cama, com um tapete pregado sobre ela, sobre o qual estava retratada uma senhora a cavalo. O sofá sujo de um cadete que morava com ele estava coberto com uma colcha. Viu seu Nikita, que, com o cabelo desgrenhado e seboso, levantou-se do chão, coçando a cabeça. Viu sua capa antiga, seu par extra de botas e um pequeno pacote, de onde saiu um pouco de queijo e o gargalo de uma garrafa cheia de vodca, que havia sido preparada para seu uso no bastião, e tudo isso, passando por sua mente e sua visão de uma só vez, o fizeram lembrar-se de que foi obrigado a ir com sua companhia naquela noite para as fortificações.

"Certamente está predeterminado que serei morto esta noite", pensou o capitão. "Sinto isso. E o ponto principal é que eu não precisava ter ido, mas fui eu quem me ofereci, e o homem que se lança para a frente é sempre morto. Qual é o problema com o maldito Nepchitchétzki? É bem possível que ele não esteja doente e os inimigos matarão outro homem por causa dele, eles o matarão infalivelmente. No entanto, se eles não me matarem, provavelmente serei promovido. Vi como o comandante do regimento ficou encantado quando lhe pedi que me deixasse ir se o tenente Nepchitchétzki estivesse doente. Se eu não for major, com certeza vou conseguir a cruz de Vladímir. Esta é a décima terceira vez que venho ao bastião. Ah, o décimo terceiro é um número de azar. Eles certamente me matarão, sinto que serei morto, mas alguém tinha que ir. E, aconteça o que acontecer, a honra do regimento e a honra do exército dependem disso. Era meu dever ir... sim, meu dever sagrado. Mas eu tenho um pressentimento."

O capitão esqueceu que não era a primeira vez que um pressentimento semelhante o assaltava, em maior ou menor grau, quando era necessário ir ao bastião, e ele não sabia que todo aquele que parte para um assunto experimenta esse pressentimento com mais ou menos força. Tendo se acalmado com essa concepção de dever que se desenvolveu especialmente e fortemente no capitão-mor, sentou-se à mesa e começou a escrever uma carta de despedida ao pai. Dez minutos depois, terminada a carta, levantou-se da mesa, os olhos molhados de lágrimas, e, recitando mentalmente todas as orações que conhecia, pôs-se a vestir-se. Seu servo grosseiro e bêbado entregou-lhe indolentemente seu casaco novo (o velho, que o capitão geralmente usava para ir ao bastião, não estava remendado).

"Por que meu casaco não está remendado? Você nunca faz nada além de dormir, seu inútil!", disse Mikháilov, zangado.

"Dorme!", resmungou Nikita. "Você corre como um cachorro o dia todo, e talvez você pare em algum momento, mas não deve dormir, mesmo assim!"

"Você está bêbado de novo, eu vejo."

"Eu não fiquei bêbado com seu dinheiro, então você não precisa me repreender."

"Segure sua língua, estúpido!", gritou o capitão, que estava pronto para atacar o homem. Ele tinha sido distraído no início, mas agora estava, finalmente, sem paciência e amargurado com a grosseria de Nikita, a quem ele amava, até mesmo mimada, e que vivia com ele há doze anos.

"Estúpido? Estúpido?", repetiu o servo. "Por que você me chama de estúpido, senhor? Este é o momento para esse tipo de coisa? Não é bom amaldiçoar."

Mikháilov lembrou para onde estava prestes a ir e sentiu vergonha de si mesmo.

"Você é o suficiente para deixar um santo sem paciência, Nikita", disse ele, com uma voz gentil. "Deixe essa carta para meu pai em cima da mesa e não toque nela", ele acrescentou, ficando vermelho.

"Sim, senhor", disse Nikita, derretendo-se sob a influência do vinho que havia bebido, como havia dito, às suas próprias custas, e piscando os olhos com um desejo visível de chorar.

Sebastopol

Quando o capitão finalmente disse: "Adeus, Nikita", na varanda, Nikita de repente caiu em soluços reprimidos e correu para beijar a mão de seu mestre. "Adeus, mestre!", ele exclamou, soluçando. A mulher do velho marinheiro, que estava no alpendre, não pôde, na sua qualidade de mulher, abster-se de participar desta cena tocante, por isso começou a enxugar os olhos com a manga suja e a dizer alguma coisa sobre até cavalheiros terem suas provações a suportar, e como ela, pobre criatura, ficara viúva. Ela contou pela centésima vez para um Nikita bêbado a história de seus problemas, como seu marido foi morto no primeiro bombardeio, como sua casinha foi totalmente arruinada (a que ela morava agora não lhe pertencia), e assim por diante. Quando o patrão partiu, Nikita acendeu o cachimbo, pediu à filha do senhorio que fosse tomar vodca e logo parou de chorar, mas também brigou com a velha por causa de um pequeno balde, que, ele declarou, ela tinha quebrado.

"Talvez eu seja apenas ferido", meditou o capitão enquanto marchava pelo crepúsculo até o bastião com sua companhia. "Mas onde? Como? Aqui ou aqui?", pensou, tocando a barriga e o peito. "Se for aqui (pensou na parte de cima da perna), posso sobreviver. Bem, mas se for aqui, e por um centímetro, isso acabaria comigo.

O capitão alcançou as fortificações em segurança pelas trincheiras, colocou seus homens para trabalhar com a ajuda de um oficial, na escuridão, que estava completa, e sentou-se em uma cova atrás dos parapeitos. Não houve muitos disparos, só de vez em quando os relâmpagos piscavam nas baterias e o estopim brilhante de uma bomba traçava um arco de chamas contra o céu escuro e estrelado. Todas as bombas caíram bem na retaguarda e à direita dos poços de fuzil onde o capitão estava sentado. Ele bebeu sua vodca, comeu seu queijo, acendeu seu cigarro e, depois de fazer suas orações, tentou dormir um pouco.

V

O príncipe Gáltsin, o tenente-coronel Nefiórdov e Praskúkhin, a quem ninguém havia convidado e com quem ninguém falava, mas que nunca os deixou, foram todos tomar chá com o ajudante Kalúguin.

"Bem, você não terminou de me contar sobre Vaska Mendel", disse Kalúguin enquanto tirava o manto, sentava-se perto da janela em uma poltrona macia e desabotoava a gola de sua camisa de cambraia fresca e engomada: "Como ele se casou?"

"Isso é uma piada, meu caro! Houve um tempo, asseguro-lhe, em que nada mais se falava em Petersburgo", disse o príncipe Gáltsin, rindo, enquanto se levantava do piano e sentava-se na janela ao lado de Kalúguin. "É simplesmente ridículo, e eu conheço todos os detalhes do caso."

Em seguida ele começou a relatar — de maneira alegre e habilidosa — uma história de amor, que omitiremos, porque não nos interessa. Mas é digno de nota que não apenas o príncipe Gáltsin, mas todos os cavalheiros que se colocaram aqui, um no parapeito da janela, outro com as pernas dobradas sob ele, um terceiro ao piano, pareciam pessoas totalmente diferentes de quando estavam no bulevar. Não havia neles nada daquela arrogância e intolerância absurdas que eles e sua espécie exibiam em público aos oficiais de infantaria. Aqui eles estavam entre seus próprios pares e isso era algo natural, especialmente para Kalúguin e o príncipe Gáltsin, que se comportavam como crianças muito boas, amáveis e alegres. A conversa girou em torno de seus companheiros de serviço em Petersburgo e de seus conhecidos.

"E Maslóvski?"

"Qual? O da guarda a cavalo ou o outro?"

"Conheço os dois. O da guarda a cavalo estava comigo quando era um garotinho e tinha acabado de sair da escola. Qual é o mais velho? Um capitão de cavalaria?"

"Oh sim! Muito tempo atrás."

"E ele ainda está andando com sua empregada cigana?"

"Não, ele a abandonou...", e assim por diante, no mesmo tom.

Então o príncipe Gáltsin sentou-se ao piano e cantou uma canção cigana em estilo magnífico. Praskúkhin começou a cantar como segunda voz, embora ninguém o tivesse convidado, e ele o fez tão bem que pediram que ele acompanhasse o príncipe novamente, o que ele consentiu de bom grado.

O criado entrou com o chá, creme e biscoitos em uma bandeja de prata.

"Sirva o príncipe", disse Kalúguin.

Sebastopol

"Realmente, é estranho pensar", disse Gáltsin, pegando uma xícara e indo até a janela, "que estamos em uma cidade sitiada, tomando chá com creme em aposentos tão agradáveis em Petersburgo."

"Sim, se não fosse isso", disse o velho tenente-coronel, que estava sempre insatisfeito com tudo, "essa espera constante por algo seria simplesmente insuportável, e ver como os homens estão sendo mortos, cada vez mais mortos todos os dias, e que não há fim para isso, e sob tais circunstâncias não seria confortável viver na lama".

"E quanto aos nossos oficiais de infantaria?", disse Kalúguin. "Eles moram nos bastiões com os soldados nas casamatas e comem sopa de beterraba com os soldados – que tal eles?"

"Eles? Não trocam suas roupas por dez dias seguidos e ainda assim são heróis – homens maravilhosos."

Nesse momento, um oficial de infantaria entrou na sala.

"Eu... fui ordenado... posso me apresentar ao gen... a Sua Excelência General N.?", ele perguntou, curvando-se com um ar de embaraço.

Kalúguin levantou-se, mas, sem retribuir a saudação do oficial, perguntou-lhe, com uma cortesia insultuosa e um sorriso oficial forçado, se ele não esperaria um pouco, e, sem convidá-lo a sentar-se ou prestar mais atenção nele, voltou-se para o príncipe Gáltsin e começou a falar com ele em francês, de modo que o infeliz oficial, que ficou de pé no meio da sala, absolutamente não sabia o que fazer consigo mesmo.

"É um assunto muito importante, senhor", disse o oficial, após uma pausa momentânea.

"Ah! muito bem, então", disse Kalúguin, vestindo sua capa e acompanhando-o até a porta.

"Eh bien, messieurs, acho que haverá trabalho quente esta noite", disse Kalúguin em francês.

"Ei? O quê? Uma surtida?" Todos começaram a questioná-lo.

"Ainda não sei, vocês verão por si mesmos", respondeu Kalúguin, com um sorriso misterioso.

"Meu comandante está no bastião. É claro, terei que ir", disse Praskúkhin, afivelando sua espada.

Ninguém lhe respondeu, pois ele deveria saber por si mesmo se tinha que ir ou não.

Praskúkhin e Nefiórdov partiram para se dirigirem aos seus postos. "Adeus, senhores!" "Au revoir, senhores! Nos encontraremos novamente esta noite!", gritou Kalúguin da janela quando Praskúkhin e Nefiórdov trotaram pela rua, curvando-se sobre os arcos de suas selas cossacas. O trote de seus cavalos cossacos logo se extinguiu na rua escura.

"Agora me diga, algo realmente vai acontecer esta noite?", perguntou Gáltsin, em francês, enquanto se apoiava com Kalúguin no parapeito da janela e olhava para as bombas que voavam sobre os bastiões.

"Posso lhe dizer, você vê... você esteve nos bastiões, é claro?" (Gáltsin fez um sinal de assentimento, embora tenha estado apenas uma vez no quarto bastião.) "Bem, havia uma trincheira em frente à nossa luneta", e Kalúguin, que não era especialista, embora considerasse seu julgamento sobre assuntos militares particularmente preciso, começou a explicar a posição das tropas e das obras do inimigo e o plano do assunto proposto, misturando bastante os termos técnicos das fortificações no processo.

"Mas eles estão começando a martelar nossas casamatas. Oh! Isso era nosso ou deles? Ali, estourou", diziam, encostados no parapeito da janela, olhando para a linha ígnea da bomba que explodiu no ar, para os relâmpagos das descargas, para o céu azul escuro, momentaneamente iluminado, para a fumaça branca da pólvora, e escutaram os sons dos tiros que ficavam cada vez mais altos.

"Que visão encantadora, não é?", perguntou Kalúguin em francês, dirigindo a atenção de seu convidado para o espetáculo realmente lindo. "Sabe, às vezes você não consegue distinguir as estrelas das bombas."

"Sim, eu estava pensando que aquilo era uma estrela, mas disparou... ali, estourou agora. E aquela grande estrela ali, como se chama? É exatamente como uma bomba."

"Sabe, eu me acostumei tanto com essas bombas que estou convencido de que uma noite de estrelas na Rússia sempre me parecerá apenas um espetáculo de explosão de bombas, de tanto que a gente se acostuma com elas."

"Mas não devo ir nessa surtida?", perguntou Gáltsin, após um silêncio momentâneo.

"Chega disso, irmão! Não pense em tal coisa! Eu não vou deixar você ir!", respondeu Kalúguin. "Sua vez ainda vai chegar, irmão!"

"Seriamente? Então você acha que não é necessário ir? Ei?..."

Sebastopol

Nesse momento, ouviu-se um espantoso estrondo de fuzis na direção para onde olhavam aqueles senhores, acima do rugido dos canhões e milhares de pequenas fogueiras, acendendo-se incessantemente, sem interrupção, lampejando ao longo de toda a linha.

"É isso aí, agora o verdadeiro trabalho começou!", exclamou Kalúguin. "Esse é o som dos rifles, e não consigo ouvi-lo a sangue frio, isso toma uma espécie de controle sobre sua alma, você sabe. E aí está o hurra!", ele acrescentou, ouvindo o rugido prolongado e distante de centenas de vozes, "A-a-aa!" Que o alcançou do bastião.

"De que lado vem esse hurra, deles ou do nosso?"

"Não sei, mas chegou a uma luta corpo a corpo, pois o tiro cessou".

Nesse momento, um oficial seguido por seu cossaco galopou até a varanda e desceu de seu cavalo.

"De onde?"

"Do bastião. O general é procurado."

"Vamos. Bem, agora, o que é isso?"

"Eles atacaram os alojamentos... os levaram... os franceses trouxeram suas pesadas reservas... eles atacaram nossas forças... havia apenas dois batalhões.", exclamou o oficial ofegante, que era o mesmo que tinha chegado à noite, respirando com dificuldade, mas indo até a porta com perfeita despreocupação.

"Bem, eles recuaram?", perguntou Gáltsin.

"Não", respondeu o oficial, com raiva. "O batalhão veio e os derrotou, o comandante do regimento foi morto, assim como muitos oficiais, e recebi ordens para pedir reforços..."

E com essas palavras ele e Kalúguin foram até o general, para onde não os seguiremos.

Cinco minutos depois, Kalúguin foi montado no cavalo do cossaco (e com aquele peculiar assento, no qual, como observei, todos os ajudantes encontram algo especialmente cativante, por algum motivo) e cavalgou a trote para o bastião, para dar algumas ordens, e aguardar a notícia do resultado do caso. O príncipe Gáltsin, sob a influência daquela emoção opressiva que os sinais de uma batalha próxima costumam produzir em um espectador que não participa dela, saiu para a rua e começou a andar de um lado para o outro sem qualquer objetivo.

VI

Os soldados carregavam os feridos em macas e os sustentavam pelos braços. Estava completamente escuro nas ruas, mas de vez em quando uma luz rara piscava no hospital ou no local onde os oficiais estavam sentados. O mesmo trovão de canhões e troca de tiros de fuzil veio dos bastiões, e os mesmos fogos brilharam contra os céus escuros. De vez em quando, ouvia-se o trote do cavalo de um ordenança, o gemido de um homem ferido, os passos e as vozes dos padioleiros, ou a conversa de algumas das amedrontadas habitantes do sexo feminino, que tinham saído em suas varandas para ver o canhão.

Entre estes estavam nossos conhecidos Nikita, a viúva do velho marinheiro, com quem ele já havia feito as pazes, e sua filha de dez anos. "Senhor, Santíssima Mãe de Deus!", sussurrou a velha para si mesma com um suspiro, enquanto observava as bombas, que, como bolas de fogo, voavam incessantemente de um lado para o outro. "Que pena, que pena! Não foi assim no primeiro bombardeio. Veja, lá estourou, a coisa amaldiçoada! Logo acima de nossas casas nos subúrbios."

"Não, na verdade, foi mais longe, próximo ao jardim da tia Arinka, onde todas as bombas caem", disse a menina.

"E onde será que está meu mestre agora?", disse Nikita, com um sotaque, pois ainda estava bastante bêbado. "Oh, como eu amo aquele meu mestre! Eu não me conheço! Eu o amo tanto que se, o que Deus me livre, eles o matarem nesta luta pecaminosa, eu não sei o que poderia fazer comigo mesmo. Pelos céus, eu não sei! Ele é tão mestre que as palavras não lhe farão justiça! Eu o trocaria por um daqueles que jogam cartas! Isso é simplesmente – uau! É tudo o que há para dizer!", concluiu Nikita, apontando para a janela iluminada do quarto de seu mestre, onde, como o capitão-mor estava ausente, junker Jvadtchévski havia convidado seus amigos para uma farra, por ocasião de receber a cruz: o Subtenente Ugróvitch e o Sub-Tenente. Tenente Nepchitchétzki, que estava doente com um resfriado.

"Aquelas estrelinhas! Elas disparam pelo céu como estrelas, como estrelas!", disse a menina, quebrando o silêncio que se seguiu às palavras de Nikita. "Pronto, pronto! Outro caiu! Por que eles fazem isso, mamãe?"

"Eles vão arruinar totalmente nossa choupana!", exclamou a velha, suspirando e sem responder à pergunta da filhinha.

Sebastopol

"E quando o tio e eu fomos lá hoje, mamãe", continuou a menininha, com voz estridente, "havia uma bala de canhão tão grande no quarto, perto do armário... ela havia atravessado a parede e entrado na sala... e era tão grande que você não poderia levantá-la."

"Aqueles que tinham marido e dinheiro foram embora", disse a velha. "E agora arruinaram minha última casinha. Veja, veja como eles estão atirando, os miseráveis. Senhor, Senhor!"

"E assim que saímos, uma bomba voou em nossa direção, explodiu e espalhou a terra ao redor, e um pedaço da concha chegou perto de atingir meu tio e eu."

VII

O príncipe Gáltsin encontrava cada vez mais homens feridos, em macas e a pé, apoiando-se uns nos outros e falando alto.

"Quando eles correram, irmãos", disse um soldado alto, que tinha duas armas no ombro, em voz baixa, "quando eles correram e gritaram: 'Allah, Allah!' Eles pressionaram um ao outro. Você mata um e outro toma o lugar dele. Você não pode fazer nada. Você nunca viu tantos números como havia deles..."

Mas neste ponto de sua história Gáltsin o interrompeu.

"Você vem do bastião?"

"Exatamente, Meritíssimo!"

"Bem, o que está acontecendo lá? Diga-me."

"Como assim, o que está acontecendo? Eles atacaram com força, Meritíssimo. Escalaram o muro, e isso é tudo. Eles conquistaram completamente, Meritíssimo."

"Como conquistaram? Você os repeliu, com certeza?"

"Como poderíamos repeli-los, quando eles vieram com toda a sua força? Eles mataram todos os nossos homens e não nos deram nenhuma ajuda."

O soldado se enganou porque as trincheiras estavam atrás de nossas forças, mas isso é uma coisa peculiar, que qualquer um pode observar: um soldado que foi ferido em um combate sempre pensa que o dia foi perdido e que o encontro foi assustadoramente sangrento.

"Então, o que eles queriam dizer ao me dizer que você os repeliu?", perguntou Gáltsin, irritado. "Talvez o inimigo tenha sido repelido depois que você partiu? Faz muito tempo que você foi embora?"

"Eu vim de lá neste instante, Meritíssimo", respondeu o soldado. "Dificilmente é possível. As trincheiras permaneceram em suas mãos... eles obtiveram uma vitória completa."

"Bem, e você não tem vergonha de ter entregado as trincheiras? Isto é horrível!", exclamou Gáltsin, irritado com tamanha indiferença.

"Meritíssimo", disse um soldado em uma maca, que acabara de chegar com eles, "como poderíamos evitar a rendição, quando quase todos nós estávamos mortos? Se estivéssemos em vigor, só teríamos rendido com a vida. Mas o que havia para fazer? Eu atropelei um homem, e então fui atingido... Oh! Suavemente, irmãos! Firme, irmãos! Vamos com mais firmeza! Oh!", gemeu o ferido.

"Realmente parece haver muitos homens extras vindo nesta direção", disse Gáltsin, novamente parando o soldado alto com os dois rifles. "Por que você está indo embora? Ei, pare!"

O soldado parou e tirou o boné com a mão esquerda.

"Aonde você vai e por quê?", ele gritou severamente.

Mas, aproximando-se muito do soldado naquele momento, percebeu que o braço direito dele estava enfaixado e coberto de sangue muito acima do cotovelo.

"Estou ferido, Meritíssimo!"

"Ferido? Como aconteceu?"

"Deve ter sido uma bala, aqui!", disse o soldado, apontando para o braço. "Mas ainda não posso dizer. Minha cabeça foi atingida por alguma coisa," e, curvando-se, ele mostrou o cabelo na parte de trás da cabeça, coberto de sangue coagulado.

"E de quem é a segunda arma que você tem?"

"Uma arma francesa, Meritíssimo! Eu capturei. E eu não teria ido embora se não fosse para acompanhar esse soldado, pois ele poderia cair.", acrescentou, apontando para o soldado, que caminhava um pouco à frente, apoiando-se na arma e arrastando o pé esquerdo com força atrás dele.

O príncipe Gáltsin de repente ficou terrivelmente envergonhado de suas suspeitas injustas. Sentiu que estava ficando vermelho e se virou, sem questionar mais os feridos e, sem cuidar deles, foi até o local onde estavam sendo atendidos.

Abrindo caminho com dificuldade até a varanda, passando pelos feridos que vieram a pé e pelos padioleiros que entravam com mais feridos e saíam com os mortos, Gáltsin entrou na primeira sala, olhou em volta, virou-se involuntariamente e imediatamente correu para a rua. Foi terrível demais.

VIII

O vasto, escuro e alto salão, iluminado apenas pelas quatro ou cinco velas que os médicos carregavam para inspecionar os feridos, estava literalmente cheio. Os padioleiros trouxeram os feridos, enfileiraram-nos um ao lado do outro no chão, que já estava tão cheio que os infelizes se acotovelavam e borrifavam uns aos outros com seu sangue, e depois saíam para buscar mais. As poças de sangue eram visíveis nos lugares desocupados, os hálitos quentes de várias centenas de homens e o vapor que subia daqueles que trabalhavam com as macas produziam uma atmosfera peculiar, espessa, pesada e ofensiva, na qual as velas ardiam fracamente em diferentes partes da sala. O murmúrio abafado de diversos gemidos e suspiros, quebrados de vez em quando por um grito agudo, foi carregado por todo o espaço. Irmãs de caridade com rostos tranquilos e uma expressão não de compaixão vazia, feminina, chorosa e doentia, mas de simpatia ativa e prática, esvoaçavam de um lado para outro entre as capas e camisas manchadas de sangue, passando por cima dos feridos com remédios, água, bandagens e fiapos.

Os médicos, com as mangas arregaçadas, ajoelhavam-se ao lado dos feridos, ao lado dos quais os cirurgiões assistentes seguravam as velas, examinando, apalpando e sondando as feridas, apesar dos terríveis gemidos e súplicas dos doentes. Um dos médicos estava sentado a uma mesinha junto à porta e, quando Gáltsin entrou na sala, estava escrevendo "Não. 532."

"Iván Bogáiev, soldado comum, terceira companhia do regimento, *fractura femoris complicata*!", chamou outro da extremidade do corredor, ao sentir a perna esmagada. "Vire-o."

"Oh, meu Senhor, meu bom Senhor!", gritou o soldado, suplicando-lhes que não o tocassem.

"*Perforatio capitis*".

"Semion Nefiórdov, tenente-coronel do regimento de infantaria. Tenha um pouco de paciência, coronel, você só pode ser atendido assim. Vou deixá-lo em paz", disse um terceiro, cutucando a cabeça do infeliz coronel, com uma espécie de gancho.

"Ai! Pare! Oh! Pelo amor de Deus, rápido, rápido, pelo amor a--a-a-a!"

"*Perforatio pectoris*. Sebastian Seredá, soldado comum... de que regimento? No entanto, você não precisa escrever isso: *moritur*. Levem--no embora", disse o médico, abandonando o soldado, que revirava os olhos e já emitia o cheiro da morte.

Quarenta padioleiros estavam à porta, aguardando a tarefa de transportar para o hospital os homens atendidos e os mortos para a capela, e olhavam para esta imagem em silêncio, apenas soltando um suspiro pesado de vez em quando.

IX

A caminho do bastião Kalúguin encontrou vários feridos, mas, sabendo por experiência que tal espetáculo tem um efeito ruim sobre os espíritos de um homem à beira de uma ação, ele não só não se deteve para interrogá-los, mas, ao contrário, tentou não prestar atenção neles. Ao pé da colina encontrou uma ordenança que vinha galopando do bastião a toda velocidade.

"Zóbkin! Zóbkin! Pare um minuto!"

"Bem, o que é isso?"

"De onde você é?"

"Dos alojamentos."

"Bem, como estão as coisas por lá? Quentes?"

"Ah, assustadoramente!"

E a ordenança galopou.

De fato, embora não houvesse mais muitos disparos dos fuzis, os canhões começaram com novo vigor e mais calor do que nunca.

"Ah, isso é ruim!", pensou Kalúguin, experimentando uma sensação bastante desagradável, e também lhe ocorreu um pressentimento, isto é, um pensamento muito comum — o pensamento da morte.

Sebastopol

Mas Kalúguin era um egoísta e dotado de nervos de aço. Em uma palavra, ele era o que se chama de corajoso. Ele não cedeu à sua primeira sensação e começou a despertar sua coragem, lembrou-se de um certo ajudante de Napoleão, que, depois de ter dado a ordem de avançar, galopou até Napoleão com a cabeça toda ensanguentada.

"Você está ferido?", disse-lhe Napoleão. "Perdoe-me, senhor, estou morto." E o ajudante caiu do cavalo e morreu no local.

Isso parecia muito bom para ele, e o mesmo imaginou que se parecia um pouco com esse ajudante, depois deu um golpe de chicote em seu cavalo e assumiu ainda mais aquele porte de cossaco, olhou para seu ordenança, que galopava atrás dele, de pé nos estribos, e assim, em grande estilo, chegou ao lugar onde era necessário desmontar. Aqui ele encontrou quatro soldados, que fumavam seus cachimbos sentados nas pedras.

"O que vocês estão fazendo aqui?", ele gritou para eles.

"Levamos um homem ferido do campo, Meritíssimo, e nos sentamos para descansar", respondeu um deles, escondendo o cachimbo nas costas e tirando o boné.

"Descansando mesmo! Marchem para seus postos!"

E, na companhia deles, subiu a colina pelas trincheiras, encontrando homens feridos a cada passo.

Ao chegar ao cume do morro, virou à esquerda e, depois de dar alguns passos, viu-se sozinho. Lascas zuniram perto dele e atingiram as trincheiras. Uma bomba passou na frente dele e parecia estar voando em sua direção. De repente, sentiu-se aterrorizado. Correu cinco passos a toda velocidade e deitou-se no chão. No entanto, quando a bomba explodiu, e à distância dele, ele ficou terrivelmente aborrecido consigo mesmo e olhou em volta enquanto se levantava, para ver se alguém o percebera cair, mas não havia ninguém por perto.

Uma vez que o medo penetra na mente, ele não cede rapidamente para dar lugar a outro sentimento. Ele, que se gabava de nunca se curvar, correu pela trincheira com velocidade acelerada, quase de quatro. "Ah! isso é muito ruim!", ele pensou, enquanto tropeçava. "Certamente serei morto!" Consciente de como era difícil respirar e do suor que brotava por todo o corpo, ele ficou surpreso consigo mesmo, mas não se esforçou mais para dominar seus sentimentos.

De repente, passos se tornaram audíveis à sua frente. Ele rapidamente se endireitou, levantou a cabeça e, com ousadia, batendo sua espada, começou a avançar em um ritmo mais lento do que antes. Ele mesmo não se reconhecia. Quando se juntou aos oficiais e marinheiros que vinham ao seu encontro, o primeiro lhe disse: "Deite-se." Apontando para a partícula brilhante de uma bomba, que, tornando-se cada vez mais brilhante, cada vez mais rápida, ao aproximar-se, caiu nas imediações da trincheira. Ele apenas abaixou um pouco a cabeça, involuntariamente, sob a influência do grito aterrorizado, e seguiu seu caminho.

"Uau! que homem corajoso!", exclamou o marinheiro, que havia observado calmamente a explosão da bomba e, com um olhar experiente, calculou imediatamente que seus estilhaços não poderiam atingir a trincheira. "Ele nem quis se deitar."

Faltavam apenas alguns passos a serem dados, através de um espaço aberto, antes que Kalúguin chegasse à casamata do comandante do bastião, quando foi novamente atacado pela falta de visão e aquela sensação estúpida de medo. Seu coração começou a bater com mais força, o sangue subiu à cabeça e ele foi obrigado a fazer um esforço sobre si mesmo para chegar à casamata.

"Por que você está tão sem fôlego?", perguntou o general, quando Kalúguin lhe comunicou suas ordens.

"Tenho andado muito rápido, Excelência!"

"Você não quer um copo de vinho?"

Kalúguin bebeu o vinho e acendeu um cigarro. O pesado canhão continuou, vindo de ambos os lados.

Na casamata estava sentado o general N., comandante do bastião, e seis outros oficiais, entre os quais Praskúkhin, discutindo vários detalhes do conflito. Sentado neste cômodo com cortinas azuis, com um sofá, uma cama, uma mesa coberta de papéis, um relógio de parede e as imagens sagradas, diante da qual ardia uma lâmpada, e contemplando esses sinais de habitação e as vigas da espessura de um archin (vinte e oito polegadas) que formavam o teto, e ouvindo os tiros que foram amortecidos pela casamata, Kalúguin positivamente não conseguia entender como havia se permitido duas vezes ser dominado por uma fraqueza tão imperdoável. Ele estava zangado consigo mesmo e ansiava pelo perigo, para que pudesse se submeter a outra provação.

Sebastopol

"Estou contente por você estar aqui, capitão", disse ele a um oficial da marinha, com o manto de oficial do Estado-Maior, com um grande bigode e a cruz de São Jorge, que entrou na casamata naquele momento, e pediu ao general para lhe dar alguns homens, para que pudesse consertar as duas cantoneiras de sua bateria que havia sido demolida. "O general me mandou perguntar", continuou Kalúguin, quando o comandante da bateria deixou de se dirigir ao general, "se seus canhões podem disparar metralha nas trincheiras".

"Apenas uma das minhas armas fará isso", respondeu o capitão, rispidamente.

"Vamos ver, mesmo assim."

O capitão franziu a testa e grunhiu com raiva: "Já passei a noite inteira lá e vim aqui para tentar descansar um pouco", disse ele. "Você não pode ir sozinho? Meu assistente, o tenente Kartz, está lá, e ele vai lhe mostrar tudo."

O capitão estava há seis meses no comando de uma das baterias mais perigosas. Vivia, sem socorro, no bastião entre os marinheiros desde o início do cerco, e tinha uma reputação entre eles por bravura. Portanto, sua recusa atingiu e surpreendeu Kalúguin particularmente. "É isso que vale a reputação!", ele pensou.

"Bem, então, irei sozinho, se você permitir", disse ele, em tom um tanto zombeteiro para o capitão, que, no entanto, não prestou a menor atenção às suas palavras.

Mas Kalúguin não refletiu que havia passado, ao todo, em momentos diferentes, talvez cinquenta horas no bastião, enquanto o capitão morava ali havia seis meses. Kalúguin era movido, além disso, pela vaidade, pelo desejo de brilhar, pela esperança de recompensa, de reputação e pelo encanto do risco. O capitão, no entanto, já passara por tudo isso: fora vaidoso no início, mostrara valor, arriscara a vida, esperara fama e recompensa, e até os conseguira, mas esses motivos atuantes já haviam perdido sua força e poder, e ele considerou o assunto sob outra luz. Cumpriu seu dever com pontualidade, mas compreendendo muito bem quão pequenas eram as hipóteses para a sua vida que lhe restavam, após seis meses de residência no bastião, não arriscou mais essas baixas, a não ser em caso de severa necessidade, para que o jovem tenente, que entrara na bateria apenas uma semana antes, e que agora a mostrava a

Kalúguin, em companhia de quem ele se revezava em se debruçar para fora do vão ou escalar as muralhas, parecia dez vezes mais corajoso do que o capitão.

Depois de inspecionar a bateria, Kalúguin voltou para a casamata e correu contra o general no escuro, enquanto este subia para a torre de vigia com seus oficiais do Estado-Maior.

"Capitão Praskúkhin!", exclamou o general. "Por favor, vá ao primeiro alojamento e diga à segunda bateria do regimento M que está trabalhando lá, que eles devem abandonar seu trabalho, evacuar o local sem fazer barulho e junte-se ao regimento deles, que está no sopé da colina em reserva.... Você entende? Conduza-os você mesmo ao regimento deles."

"Sim, senhor."

E Praskúkhin partiu correndo para o alojamento.

Os disparos estavam ficando cada vez mais raros.

X

"Este é o segundo batalhão do regimento M——?", perguntou Praskúkhin, correndo para o local na direção contrária aos soldados que carregavam terra em sacos.

"Exatamente."

"Onde está o comandante?"

Mikháilov, supondo que o inquérito era para o comandante do corpo, rastejou para fora de seu posto e, tomando Praskúkhin como coronel, aproximou-se dele com a mão no visor.

"O general deu ordens... que você... seja tão bom a ponto de ir... o mais rápido possível... e, em particular, o mais silenciosamente possível, para a retaguarda... exatamente na retaguarda, mas na reserva." Disse Praskúkhin, olhando de soslaio para os fogos do inimigo.

Ao reconhecer Praskúkhin e descobrir o estado das coisas, Mikháilov baixou a mão, deu as ordens e o batalhão começou a se mover. Todos pegaram suas armas, vestiram suas capas e partiram.

Ninguém que não o tenha experimentado pode imaginar o prazer que um homem sente quando parte, após três horas de bombardeio, de um posto tão perigoso como os alojamentos. Várias vezes ao longo dessas três horas, Mikháilov, não sem razão, considerou seu fim como ine-

Sebastopol

vitável, e se acostumou com a convicção de que ele deveria ser morto infalivelmente e que não pertencia mais a este mundo. Apesar disso, ele teve grande dificuldade em evitar que seus pés fugissem com ele quando saiu dos alojamentos à frente de seu corpo, em companhia de Praskúkhin.

"*Au revoir*", disse o major, comandante de outro batalhão, que ficaria nos alojamentos e com quem dividira seu queijo, enquanto estavam sentados na cova atrás dos parapeitos. "Uma viagem agradável para você".

"Obrigado, espero que você tenha boa sorte depois que partirmos. O tiroteio parece estar resistindo."

Assim que ele disse isso, o inimigo, que deve ter observado o movimento nos alojamentos, começou a disparar cada vez mais rápido. Nossos canhões começaram a responder a ele, e novamente um pesado tiroteio começou. As estrelas brilhavam alto, mas não eram capazes de iluminar verdadeiramente o céu. A noite estava escura, você mal podia ver sua mão à sua frente, viam-se apenas os clarões das descargas e as explosões das bombas iluminando os objetos por um momento. Os soldados marcharam rapidamente, em silêncio, involuntariamente pisando nos calcanhares uns dos outros. Tudo que se ouvia através do fogo incessante era o som medido de seus passos na estrada seca, o barulho de suas baionetas ao entrarem em contato, ou o suspiro e a oração de algum jovem soldado: "Senhor, Senhor! O que é isto!" De vez em quando ouvia-se o gemido de um homem ferido e o grito: "Maca!" (Na companhia comandada por Mikháilov, vinte e seis homens foram mortos em uma noite, apenas pelo fogo da artilharia.) O relâmpago brilhou no horizonte distante, a sentinela do bastião gritou: "Canhão!" E a bala passou gritando sobre as cabeças dos soldados, rasgou a terra e fez voar as pedras.

"Quão devagar eles marcham!", pensou Praskúkhin, olhando continuamente para trás, enquanto caminhava ao lado de Mikháilov. "Realmente, será melhor para mim correr na frente. Já dei a ordem. Melhor não, ou pode-se dizer mais tarde que fui um covarde. O que será, eu marcharei com eles."

"Agora, por que ele está andando atrás de mim?", pensou Mikháilov, ao seu lado. "Até onde observei, ele sempre traz azar. Lá vem, voando direto para nós, aparentemente."

Depois de percorrerem várias centenas de passos, encontraram Kalúguin, que se dirigia às casamatas, batendo a espada com ousadia enquanto caminhava, para saber, por ordem do general, como andavam os trabalhos ali. Mas ao encontrar Mikháilov, ocorreu-lhe que, em vez de ir para lá, sob aquele terrível incêndio, o que não lhe foi ordenado, poderia fazer perguntas minuciosas ao oficial que estivera lá. E, de fato, Mikháilov forneceu-lhe um relato detalhado do trabalho. Depois de caminhar uma curta distância com eles, Kalúguin entrou na trincheira que levava à casamata.

"Bem, quais são as novidades?", perguntou o oficial, que estava sentado sozinho à mesa comendo sua ceia.

"Bem, nada, aparentemente, exceto que não haverá mais nenhum conflito."

"Como assim? Pelo contrário, o general acabou de subir ao topo das obras. Um regimento já chegou. Sim, aí está... você ouviu? O tiroteio recomeçou. Não vá. Por que você deveria?", acrescentou o oficial, percebendo o movimento de Kalúguin.

"Mas devo estar lá sem falta, no presente caso", pensou Kalúguin. "Mas, já me submeti a muitos perigos hoje. O tiroteio é terrível."

"Bem, afinal, é melhor eu esperar por ele aqui", disse ele.

De fato, o general voltou vinte minutos depois, junto dos oficiais que o acompanharam, mas Praskúkhin não estava com eles. Os alojamentos foram capturados e ocupados por nossas forças.

Depois de receber um relato completo do ocorrido, Kalúguin e Pest saíram das casamatas.

XI

"Há sangue em seu manto, você esteve em uma luta corpo a corpo?", Kalúguin perguntou a ele.

"Oh, é assustador! Apenas imagine..."

E Pest começou a contar como havia liderado sua companhia, como o comandante da companhia havia sido morto, como cuspiu em um francês e como, se não fosse por ele, a batalha teria sido perdida.

As informações dessa história de que o comandante da companhia havia sido morto e que Pest havia matado um francês estavam corretas, mas, ao dar os detalhes, o junker havia inventado fatos e se gabado.

Sebastopol

Gabava-se involuntariamente, porque durante todo o ocorrido estivera numa espécie de neblina e esquecera-se a tal ponto que tudo o que acontecia lhe parecia ter acontecido em algum lugar, em algum momento e com alguém, e muito naturalmente. Ele havia se esforçado para trazer esses detalhes a uma luz que deveria ser favorável a si mesmo. O que aconteceu na realidade foi o seguinte:

O batalhão para o qual o junker havia sido mandado para a surtida ficou sob fogo durante duas horas, perto de um muro, então o comandante do batalhão disse alguma coisa, os comandantes das companhias fizeram um movimento, o batalhão arrancou, saiu de trás dos parapeitos, avançou cem passos e parou em colunas. Pest recebera ordem de se posicionar no flanco direito da segunda companhia.

O junker se manteve firme, absolutamente sem saber onde estava ou por que estava ali, e, com a respiração contida e um calafrio percorrendo sua espinha, olhou estupidamente para a frente na escuridão sem fim, na expectativa de algo terrível. Mas, como não havia nenhum tiro em andamento, ele não se sentiu tão apavorado quanto se sentia estranho por se encontrar fora da fortaleza, em pleno campo. Novamente o comandante do batalhão à frente disse alguma coisa. Novamente os oficiais conversaram em sussurros, enquanto comunicavam as ordens, e a parede preta da primeira companhia desapareceu de repente. Eles receberam ordens para se deitarem. A segunda companhia também se deitou, e Pest, no ato, espetou a mão em algo afiado. O único homem que não se deitou foi o comandante da segunda companhia. Sua forma baixa, com a espada nua que ele estava floreando, falando sem parar, moveu-se na frente da tropa.

"Crianças! meus rapazes! Olhem para mim! Atirem neles com suas baionetas, os cães! Quando eu grito hurrah, sigam-me de perto... o mais importante é estar o mais próximo possível... vamos mostrar do que somos feitos! Não vamos nos cobrir de vergonha. Vamos! Ei, meus filhos? Para nosso pai, o czar!"

"Qual é o sobrenome do comandante da nossa companhia?", Pest perguntou a um junker que estava deitado ao lado dele. "Que sujeito corajoso ele é!"

"Sim, ele é sempre assim em uma briga", respondeu o junker. "O nome dele é Lisinkóvski."

Naquele momento, uma chama brilhou na frente deles. Houve um estrondo que ensurdeceu a todos, pedras e lascas voaram alto no ar (cinquenta segundos, pelo menos, depois uma pedra caiu de cima e esmagou o pé de um soldado). Era uma bomba de uma plataforma elevada, e o fato de ter caído no meio da companhia provou que os franceses haviam avistado a coluna.

"Então eles estão mandando bombas! Deixe-nos chegar até você, e você sentirá a baioneta de um russo de três lados, maldito seja!", gritou o comandante da companhia, em tom tão alto que o comandante do batalhão foi obrigado a ordenar que ficasse quieto e não fizesse tanto barulho.

Depois disso, a primeira companhia levantou-se seguida pela segunda. Eles foram ordenados a fixar baionetas e o batalhão avançou. Pest estava tão aterrorizado que não conseguia lembrar se eles avançaram muito, ou para onde, ou quem fez o quê. Ele andava como um bêbado. De uma só vez milhões de fogos brilharam de todos os lados, houve um assobio e um estrondo. Ele gritou e correu, porque todos estavam gritando e correndo. Então ele tropeçou e caiu em cima de alguma coisa. Era o comandante da companhia (que havia sido ferido na cabeça e que, tomando o caipira por um francês, o agarrou pela perna). Então, quando ele liberou a perna e ficou de pé, um homem correu contra suas costas no escuro e quase o derrubou novamente. Outro homem gritou: "Atropele-o! O que você está olhando!"

Então ele pegou uma arma e bateu a baioneta em algo macio. "Ah, Dieu!", exclamou alguém com uma voz terrivelmente penetrante, e só então Pest descobriu que havia paralisado um francês. O suor frio começou por todo o seu corpo. Ele estremeceu como se estivesse com febre e jogou a arma para longe. Mas isso durou apenas um momento, pois imediatamente lhe ocorreu que ele era um herói. Ele pegou a arma novamente e, gritando "Hurrah!" com a multidão, ele correu para longe do francês morto. Depois de ter percorrido cerca de vinte passos, chegou à trincheira. Lá ele encontrou nossos homens e o comandante da companhia.

"Eu acertei um homem!", disse ao comandante.

"Você é um sujeito corajoso, Barão."

Sebastopol

XII

"Mas, você sabe, Praskúkhin foi morto", disse Pest, acompanhando Kalúguin, no caminho de volta.

"Não pode ser!"

"Sim, pode. Eu mesmo o vi."

"Até a próxima. Estou com pressa."

"Estou bem contente", pensou Kalúguin, ao voltar para casa. "Tive sorte pela primeira vez em serviço. Esse foi um compromisso capital, e estou vivo e inteiro. Haverá algumas belas apresentações, e eu certamente conseguirei uma espada de ouro. E eu também mereço."

Depois de relatar ao general tudo o que era necessário, ele foi para seu quarto, no qual estava sentado o príncipe Gáltsin, que havia retornado muito antes e estava lendo um livro que havia encontrado na mesa de Kalúguin, enquanto o esperava.

Foi com uma maravilhosa sensação de prazer que Kalúguin se viu de novo em casa, fora de qualquer perigo, e, tendo vestido a camisola e deitado no sofá, começou a relatar a Gáltsin os detalhes do caso, comunicando-os, naturalmente, de um ponto de vista que fazia parecer que ele, Kalúguin, era um oficial muito ativo e valente. Na minha opinião, era supérfluo falar sobre isso, visto que todos o sabiam e que ninguém tinha direito de duvidar, com exceção, talvez, do falecido capitão Praskúkhin, que, apesar de ter considerado uma felicidade andar de braço dado com Kalúguin, havia dito a um amigo, ainda na noite anterior, em particular, que Kalúguin era um homem muito bom, mas que, cá entre nós, ele era terrivelmente avesso a ir aos bastiões.

Assim que Praskúkhin, que caminhava ao lado de Mikháilov, se despediu de Kalúguin e, dirigindo-se para um lugar mais seguro, começou a recuperar um pouco o ânimo, avistou um relâmpago atrás dele queimando vividamente e ouviu o grito da sentinela: "Mortalha!" Em seguida, ouviu também as palavras dos soldados que marchavam atrás: "Está voando direto para o bastião!"

Mikháilov olhou ao redor. A ponta brilhante da bomba parecia suspensa diretamente acima de sua cabeça em tal posição que era absolutamente impossível determinar seu curso. Mas isso durou apenas um segundo. A bomba veio cada vez mais rápido, cada vez mais perto, as faíscas do pavio já eram visíveis, e o apito fatídico era audível, e desceu direto no meio do batalhão.

"Deitem-se!", gritou uma voz.

Mikháilov e Praskúkhin se jogaram no chão. Praskúkhin fechou os olhos e só ouviu a bomba cair contra a terra dura em algum lugar nas proximidades. Um segundo se passou, o que para ele pareceu uma hora, e a bomba não explodiu. Praskúkhin ficou alarmado. Será que ele se sentiu covarde por nada? Talvez a bomba tivesse caído à distância, e apenas lhe parecia que o fusível estava sibilando perto dele. Ele abriu os olhos e viu com satisfação que Mikháilov estava deitado imóvel no chão, a seus pés. Mas então seus olhos encontraram por um momento o pavio brilhante da bomba, que estava girando a pouca distância dele.

Um horror frio que excluía qualquer outro pensamento e sentimento tomou conta de todo o seu ser. Ele cobriu o rosto com as mãos.

Outro segundo se passou, um segundo em que um mundo inteiro de pensamentos, sentimentos, esperanças e memórias passou por sua mente.

"Quem será morto, Mikháilov ou eu? Ou os dois juntos? E se for eu, onde vão me atacar? Se na cabeça, então tudo acabou para mim, mas se dor na perna, eles vão cortá-la e vou pedir-lhes que se certifiquem de me dar clorofórmio, e eu ainda posso permanecer entre os vivos. Mas talvez ninguém além de Mikháilov seja morto. Depois contarei como caminhávamos juntos, como ele foi morto e seu sangue jorrou sobre mim. Não, está mais perto de mim... vai me matar!"

Então lembrou-se dos vinte rublos que devia a Mikháilov e lembrou-se de outra dívida em Petersburgo, que deveria ter sido paga há muito tempo. O ar cigano que ele havia cantado na noite anterior voltou a ele. A mulher que ele amava apareceu em sua imaginação com um gorro com fitas lilás, um homem que o havia insultado cinco anos antes, e de quem ele não havia se vingado por seu insulto veio-lhe à mente, embora inextricavelmente entrelaçado com estes e com umas mil outras lembranças, a sensação do momento — o medo da morte — nunca o abandonou por um instante.

"Talvez não estoure", pensou ele, e, com a decisão de desespero, tentou abrir os olhos. Mas naquele instante, através da fenda das pálpebras, seus olhos foram atingidos por um fogo vermelho, e algo o atingiu no centro do peito com um estrondo assustador. Saiu correndo sem saber para onde, tropeçou na espada que estava entre suas pernas e caiu de lado.

"Graças a Deus! Estou apenas machucado", foi seu primeiro pensamento. Tentou tocar o peito com as mãos, mas seus braços pareciam acorrentados e pinças apertavam sua cabeça. Os soldados esvoaçavam diante de seus olhos e ele inconscientemente os contava: "Um, dois, três soldados, e junto deles há um oficial, envolto em sua capa", pensou. Então um flash passou diante de seus olhos, e ele pensou que algo havia sido disparado. Foram os morteiros ou o canhão? Deve ter sido o canhão. Em seguida houve outro tiro, e havia mais soldados: cinco, seis, sete soldados passavam por ele. Então, de repente, sentiu medo de que eles o esmagassem. Ele queria gritar para eles que estava machucado, mas sua boca estava tão seca que sua língua grudava no palato e ele foi torturado por uma sede terrível.

Sentiu que estava molhado; no peito uma sensação de umidade que lhe lembrava água, e ele até queria beber isso, fosse o que fosse. "Devo ter trazido o sangue de quando caí", pensou, e, começando a ceder cada vez mais ao terror, com medo de que os soldados que passavam o esmagassem, reuniu todas as suas forças e tentou gritar: "Levem-me com vocês!" Mas, em vez disso, ele gemeu tão terrivelmente que se assustou ao ouvir a si mesmo. Então mais fogos vermelhos brilharam em seus olhos, e pareceu-lhe que os soldados estavam colocando pedras nele; os fogos dançavam cada vez mais raramente, as pedras que empilhavam sobre ele o oprimiam cada vez mais.

Ele exerceu toda a sua força a fim de arremessar as pedras, estendeu-se e já não viu, nem ouviu, nem pensou, nem sentiu nada. Ele havia sido morto no local por uma lasca de bala, no meio do peito.

XIII

Mikháilov, ao avistar a bomba, caiu no chão e, como Praskúkhin, se perdeu em pensamentos e sentimentos naqueles dois segundos enquanto a bomba não explodiu. Ele orou mentalmente a Deus e continuou repetindo: "Seja feita a tua vontade!"

"E por que entrei no serviço militar?", pensou ao mesmo tempo. "E por que, novamente, troquei para a infantaria, para participar desta campanha? Não teria sido melhor para mim permanecer no regimento de Uhlans, na cidade de T., e passar o tempo com minha amiga Natacha? E agora foi isso que aconteceu."

E ele começou a contar: "Um, dois, três, quatro", imaginando que se explodisse no número par, ele viveria, mas se fosse no número ímpar, ele deveria ser morto. "Tudo está acabado, serei morto", pensou, quando a bomba explodiu (não se lembrava se era par ou ímpar), e sentiu um golpe e uma dor aguda na cabeça. "Senhor, perdoe meus pecados", ele murmurou, cruzando as mãos, então se levantou e caiu para trás sem sentido.

Sua primeira sensação, quando voltou a si, foi o sangue que escorria de seu nariz e uma dor na cabeça, que se tornara muito mais forte. "É a minha alma partindo", pensou. "Como será lá? Senhor, recebe minha alma em paz!", pensou ele. "Mas uma coisa é estranha: é que, embora moribundo, ainda posso ouvir tão claramente os passos dos soldados e o estrondo dos tiros."

"Envie alguns carregadores... ei... o capitão está morto!", gritou uma voz sobre sua cabeça, que ele reconheceu como sendo a voz de seu soldado Ignátiev.

Alguém o agarrou pelos ombros. Ele fez um esforço para abrir os olhos e viu acima do céu azul-escuro os aglomerados de estrelas e duas bombas que voavam sobre ele, uma após a outra. Viu Ignátiev, os soldados com a maca, as paredes da trincheira, e de repente se convenceu de que ainda não estava no outro mundo.

Ele havia sido levemente ferido na cabeça com uma pedra. Sua primeira impressão foi um arrependimento parecido: ele se preparara tão lindamente e tão calmamente para transitar para o além que, um retorno à realidade com suas bombas, suas trincheiras e seu sangue, produziu nele um efeito desagradável. A segunda impressão foi uma alegria involuntária de estar vivo, e a terceira um desejo de deixar o bastião o mais rápido possível. O soldado amarrou a cabeça de seu comandante com o lenço e, pegando-o por baixo do braço, o conduziu até o local onde estava sendo feito o curativo.

"Mas para onde vou e por quê?", pensou o capitão-mor, quando recuperou um pouco os sentidos. "É meu dever ficar com meus homens, tanto mais que logo estarão fora do alcance dos tiros", sussurrou-lhe uma voz.

"Não importa, irmão", ele disse, puxando seu braço para longe do gentil soldado. "Não irei ao hospital de campanha. Vou ficar com meus homens."

E ele voltou.

"É melhor você ter seu ferimento devidamente tratado, Meritíssimo", disse Ignátiev. "No calor do momento, parece que foi uma ninharia, mas será pior se não for atendido. Há alguma inflamação crescendo aí... realmente, agora, Meritíssimo."

Mikháilov parou por um momento em indecisão e teria seguido o conselho de Ignátiev, com toda a probabilidade, se não tivesse se lembrado de quantos homens gravemente feridos devia haver no hospital de campanha. "Talvez o médico sorria para o meu arranhão", pensou o capitão do Estado-Maior, e voltou com decisão para seus homens, totalmente indiferente às advertências e orientações do soldado.

"E onde está o oficial Praskúkhin que estava andando comigo?", ele perguntou ao tenente, que estava liderando o corpo quando eles se encontraram.

"Não sei, provavelmente morto", respondeu o tenente, com relutância.

"Como é que você não sabe se ele foi morto ou ferido? Ele estava andando conosco. E por que você não o carregou com você?"

"Como poderia ser feito, irmão, quando o lugar estava tão arriscado para nós!"

"Ah, como você pôde fazer uma coisa dessas, Mikháil Ivánovitch!", disse Mikháilov, com raiva. "Como você pôde abandoná-lo se ele estava vivo? E se ele estava morto, você ainda deveria ter trazido o corpo dele.

"Como ele poderia estar vivo quando, como eu lhe disse, fui até ele e o vi!", retornou o tenente. "Como quiser, no entanto! Só que seus próprios homens poderiam levá-lo embora. Aqui, seus cães! O canhoneio diminuiu", acrescentou.

Mikáilov sentou-se e apertou a cabeça, e esse movimento causou nele uma dor terrível.

"Sim, devo ir buscá-lo, sem falta, talvez ele ainda esteja vivo", disse Mikháilov. "É nosso dever, Mikháil Ivánovitch!"

Mikháil Ivánovitch não respondeu.

"Ele não o levou na época, e agora os soldados devem ser enviados sozinhos. Como eles podem ser enviados? Suas vidas não podem ser sacrificadas em vão sob aquele fogo ardente", pensou Mikháilov.

"Crianças! Devemos voltar e buscar o oficial que foi ferido lá na vala", disse ele, em um tom não muito alto e de comando, pois sentiu como seria desagradável para os soldados obedecerem à sua ordem, e, como ele não se dirigiu a ninguém em particular pelo nome, ninguém se propôs a cumpri-lo.

"É bem possível que ele já esteja morto, e não vale a pena submeter os homens a perigos desnecessários. Só eu sou o culpado por não ter cuidado disso. Eu mesmo irei e saberei se ele está vivo. É meu dever", disse Mikháilov para si mesmo.

"Mikháil Ivánovitch! Conduza os homens para a frente, e eu o alcançarei", disse ele, e, levantando o manto com uma mão e com a outra tocando constantemente a imagem de São Mitrofáni, na qual ele nutria uma fé especial, partiu correndo ao longo da trincheira.

Tendo se convencido de que Praskúkhin estava morto, ele se arrastou para trás, ofegante, apoiando com a mão o curativo solto e a cabeça, que começou a doer muito. O batalhão já havia alcançado o sopé da colina e estava em um lugar quase fora do alcance dos tiros, quando Mikháilov o ultrapassou. Digo, quase fora de alcance, porque algumas bombas perdidas caíram aqui e ali.

"De qualquer forma, devo ir ao hospital amanhã e anotar meu nome", pensou o capitão do Estado-Maior, enquanto o estudante de medicina que ajudava os médicos enfaixava seu ferimento.

XIV

Centenas de corpos recentemente manchados de sangue, de homens que duas horas antes haviam sido preenchidos com diversas esperanças e desejos elevados ou mesquinhos, agora jaziam, com membros enrijecidos, no orvalhado e florido vale que separava o bastião da trincheira. No piso plano da capela para os mortos em Sebastopol, centenas de homens rastejavam, retorciam-se e gemiam, com maldições e orações nos lábios ressecados, alguns entre os cadáveres no vale florido, outros em macas, catres e no chão manchado de sangue do hospital.

Sebastopol

E ainda assim, como nos dias anteriores, a aurora brilhava sobre a montanha Sapun, as estrelas cintilantes empalideciam, a névoa branca se espalhava do mar escuro que soava, o brilho vermelho iluminava o leste, longas nuvens carmesim disparavam pelo horizonte azul, e ainda, como nos dias anteriores, o sol poderoso e todo belo se levantou, prometendo alegria, amor e felicidade a todos os que habitam o mundo.

XV

No dia seguinte, a banda dos caçadores tocava de novo no bulevar, e novamente oficiais, cadetes, soldados e moças passeavam em trajes festivos pelo pavilhão e pelas vielas baixas de acácias brancas perfumadas em flor.

Kalúguin, o príncipe Gáltsin e algum coronel ou outro caminhavam de braços dados perto do pavilhão e discutiam o acontecimento do dia anterior. Como sempre acontece nesses casos, o fio condutor principal da conversação não era o ocorrido em si, mas a parte que os narradores da história tomavam nele.

Seus rostos e o som de suas vozes tinham uma expressão séria, quase melancólica, como se a perda do dia anterior os tivesse tocado e entristecido profundamente, mas, para dizer a verdade, como nenhum deles havia perdido ninguém muito próximo, essa expressão de tristeza era uma expressão oficial, que eles apenas sentiam ser seu dever exibir.

Pelo contrário, Kalúguin e o coronel estavam prontos para ver um combate do mesmo tipo todos os dias, desde que pudessem receber uma espada de ouro ou o posto de major-general – apesar de serem camaradas muito bons.

Gosto quando qualquer guerreiro que destrói milhões para satisfazer sua ambição é chamado de monstro. Basta questionar qualquer tenente Petruchov, e subtenente Antónov, e assim por diante, em sua palavra de honra, e cada um deles é um mesquinho Napoleão, um monstro pronto para travar uma batalha em um instante, pronto para assassinar cem homens, apenas para receber uma cruz extra ou um aumento de um terço em seu salário.

"Não, desculpe-me", disse o coronel. "Começou primeiro no flanco esquerdo. Eu mesmo estava lá."

"Possivelmente", respondeu Kalúguin. "Eu estava mais à direita. Fui lá duas vezes. Uma vez eu estava procurando o general, e na segunda vez fui apenas inspecionar os alojamentos. Era um lugar quente."

"Sim, claro, Kalúguin sabe", disse o príncipe Gáltsin ao coronel. "Você sabe que V. me disse hoje que você era um sujeito corajoso."

"Mas as perdas, as perdas foram terríveis", disse o coronel. "Perdi quatrocentos homens do meu regimento. É uma maravilha que eu tenha escapado vivo."

Nesse momento, a figura de Mikháilov, com a cabeça enfaixada, apareceu na outra extremidade do bulevar, vindo ao encontro desses senhores.

"Você foi ferido, capitão?", perguntou Kalúguin.

"Sim, ligeiramente, com uma pedra", respondeu Mikháilov.

"A bandeira já foi arriada?", perguntou o príncipe Gáltsin, olhando por cima do boné do capitão do Estado-Maior e não se dirigindo a ninguém em particular.

"*Non, pas encore*", respondeu Mikháilov, que queria mostrar que entendia e falava francês.

"A trégua ainda está em vigor?", perguntou Gáltsin, dirigindo-se a ele cortesmente em russo. "Deve ser difícil para você falar francês, então por que não fala em sua própria língua?" E com isso os ajudantes o deixaram. O capitão-mor novamente sentiu-se solitário como na noite anterior, e, trocando saudações com vários cavalheiros – alguns ele não se importou, outros não ousou juntar-se – sentou-se perto do monumento de Kazárski e acendeu um cigarro.

O barão Pest também tinha ido ao bulevar. Ele estava contando como tinha ido organizar a trégua e que tinha conversado com os oficiais franceses. Ele declarou que um deles lhe disse: "Se a luz do dia tivesse adiado mais meia hora, essas emboscadas teriam sido retomadas." E que ele havia respondido: "Senhor, abstenho-me de dizer não, para não lhe dar a mentira." E quão bem ele havia dito isso, e assim por diante.

Mas, na verdade, embora tivesse participado da trégua, não se atreveu a dizer nada de muito especial ali, embora estivesse muito desejoso de conversar com os franceses (pois é muito bom conversar com franceses). O Barão junker Pest havia marchado para cima e para baixo na linha por um longo tempo, perguntando incessantemente aos franceses que estavam perto dele: "A que regimento você pertence?", eles lhe responderam, e isso foi o fim.

Quando ele andou muito ao longo da linha, a sentinela francesa, sem suspeitar que esse soldado entendia francês, o amaldiçoou. "Ele veio espiar nossas obras, o maldito..." Disse ele, e, em consequência, o barão de junker Pest, não se interessando mais pela trégua, foi para casa e pensou durante todo o caminho de volta naquelas frases em francês que ele havia pronunciado. O capitão Zóbov também estava no bulevar, falando alto. Também estavam lá o capitão Objógov, muito desgrenhado, e um capitão de artilharia que não cortejava ninguém e se demonstrava muito feliz com o amor dos junkers e de todos os rostos que ali estiveram no dia anterior, todos ainda movidos pelos mesmos motivos. Ninguém estava faltando, exceto Praskúkhin, Nefiórdov e alguns outros de quem quase ninguém se lembrava ou pensava agora, embora seus corpos ainda não tivessem sido lavados, estendidos e enterrados na terra.

XVI

Bandeiras brancas haviam sido penduradas em nosso bastião e nas trincheiras dos franceses, e no vale florido entre eles jaziam cadáveres desfigurados, descalços, em roupas da core cinza ou azul, que os trabalhadores se empenhavam em carregar e empilhar em carroças. O odor dos cadáveres encheu o ar. Multidões de pessoas haviam saído de Sebastopol e do acampamento francês para contemplar esse espetáculo, e se aglomeravam uma após a outra com curiosidade ansiosa e benevolente.

Ouça o que essas pessoas estavam dizendo.

Em um grupo de russos e franceses que se reuniram, estava um jovem oficial, que mal falava francês, mas o fazia bem o suficiente para se fazer entender, examinando uma caixa de cartuchos dos guardas.

"E para que esse pássaro está aqui?", diz ele.

"Porque é uma caixa de cartuchos pertencente a um regimento de guardas, *monsieur*, e traz a águia imperial."

"E você pertence à guarda?"

"Perdão, *monsieur*, pertenço ao sexto regimento da linha."

"E isso... comprou onde?", pergunta o oficial, apontando para uma cigarreira de madeira amarela, na qual o francês fumava seu cigarro.

"Em Balaclava, senhor. É muito simples, de palmeira."

"Bonito!", exclamou o oficial, guiado em sua conversa não tanto por seus próprios desejos, mas pelas palavras que conhece.

"Se você tiver a gentileza de guardá-lo como lembrança deste encontro, você me conferirá uma obrigação."

E o educado francês sopra o cigarro e entrega a piteira ao oficial com uma pequena reverência. O oficial lhe dá o seu, e todos os membros do grupo, franceses e russos, parecem muito satisfeitos e sorriem.

Então um audaz infante, de camisa cor-de-rosa, com o manto jogado sobre os ombros, acompanhado por outros dois soldados, que, com as mãos atrás das costas, estavam atrás dele, com fisionomias alegres e curiosas, aproximou-se de um francês e pediu fogo para seu cachimbo. O francês acendeu o fogo, agitou o cachimbo curto e acendeu uma chama para o russo.

"Tabaco bom!", disse o soldado de camisa rosa, e os espectadores sorriem.

"Sim, bom tabaco, tabaco turco", diz o francês. "E seu tabaco — russo? — é bom?"

"Russo, sim, é muito bom", diz o soldado de camisa rosa, então os presentes tremem de rir. "Os franceses não são bons. *Bon jour*, monsieur", diz o soldado de camisa rosa soltando toda a sua carga de conhecimento da língua de uma vez, enquanto ri e dá um tapinha na barriga do francês. Os franceses se juntam à risada.

"Eles não são bonitos, essas bestas de russos", comenta alguém em meio à multidão de franceses.

"Do que eles estão rindo?", pergunta um moreno com sotaque italiano, aproximando-se de nossos homens.

"Caftan bom", diz o soldado audacioso, olhando para as saias bordadas de um deles, e então há outra risada.

"De volta aos seus lugares, *sacré nom*!", grita um cabo francês, e os soldados se dispersam com evidente relutância.

Enquanto isso, nosso jovem oficial de cavalaria está fazendo a excursão dos oficiais franceses. A conversa gira em torno de um conde Sazónov "que eu conhecia muito bem, monsieur", diz um oficial francês. "Ele é um daqueles verdadeiros condes russos, de quem gostamos tanto".

"Há um Sazónov que eu conheço", disse o oficial de cavalaria. "Mas ele não é um conde, pelo menos que eu saiba. É um homenzinho moreno, mais ou menos da sua idade."

"Exatamente, Monsieur, esse é o homem. Oh, como eu gostaria de ver esse querido conde! Se você o vir, reze, apresente meus cumprimentos a ele, capitão Latour", diz ele, curvando-se.

"Não é um negócio terrível o que estamos conduzindo aqui? Foi um trabalho arriscado ontem à noite, não foi? Comenta o oficial de cavalaria querendo continuar a conversa e apontando para os cadáveres.

"Oh, assustador, senhor! Mas que bravos companheiros são seus soldados, que bravos companheiros! É um prazer lutar com companheiros tão valentes."

"Deve-se admitir que seus homens também não ficam para trás", diz o cavaleiro, com uma reverência e a convicção de que ele é muito amável.

Mas chega disso.

Observemos antes este rapaz de dez anos, vestido com um boné antigo, provavelmente do pai, sapatos usados nos pés e calções de nanquim sustentados por um único suspensório, que havia escalado o muro no início da trégua, e tem perambulado pela ravina, olhando com curiosidade surda para os franceses e para os corpos que jazem na terra, e colhendo as flores silvestres azuis com as quais o vale é cravejado. A caminho de casa com um grande buquê, ele tapou o nariz por causa do cheiro que o vento carregava até ele e parou ao lado de uma pilha de cadáveres que haviam sido levados para fora do campo. O rapaz observou por um longo tempo um terrível corpo sem cabeça que por acaso era o que estava mais próximo dele. Depois de ficar ali por um longo tempo, ele se aproximou e tocou com o pé o braço enrijecido do cadáver que se projetava. O braço balançou um pouco. Ele o tocou novamente, e com mais vigor. O braço balançou para trás e então caiu no lugar novamente, e imediatamente o menino soltou um grito, escondeu o rosto nas flores e correu para as fortificações o mais rápido que pôde.

Sim, bandeiras brancas estão penduradas no baluarte e nas trincheiras, o vale florido está cheio de cadáveres, o esplêndido sol afunda no mar azul, e o mar azul ondula e brilha nos raios dourados do sol. Milhares de pessoas se reúnem, olham, falam e sorriem umas para as outras. E por que os cristãos, que professam a grande lei do amor e do sacrifício próprio, quando contemplam o que fizeram, não caem de joelhos em arrependimento diante daquele que, quando lhes deu vida, a implantou na alma de cada um deles junto com o medo da morte, o amor ao bom e ao belo, e, com lágrimas de alegria e felicidade, abraçam-se como irmãos? Não! Mas é um conforto pensar que não fomos nós que começamos esta guerra, que estamos apenas defendendo nosso próprio país, nossa pátria. As bandeiras brancas foram içadas, e novamente as armas da morte e do sofrimento estão gritando, novamente sangue inocente é derramado, e gemidos e maldições são audíveis.

Já disse tudo o que gostaria de dizer neste momento. Mas um pensamento pesado me domina. Talvez não devesse ter sido dito, talvez o que eu disse pertença a uma daquelas verdades más que, inconscientemente escondidas na alma de cada homem, não devem ser ditas, para que não se tornem perniciosas, como um barril de vinho não deve ser sacudido, para que não seja estragado.

Onde está a expressão do mal que deve ser evitado? Onde está a expressão do bem que deve ser imitada neste esboço? Quem é o vilão, quem é o herói? Todos são bons e todos são maus.

Nem Kalúguin, com sua bravura brilhante e sua vaidade, o instigador de todos os seus feitos, nem Praskúkhin, o homem de cabeça vazia e inofensivo, embora tenha caído em batalha pela fé, pelo trono e por sua terra natal, nem Mikháilov, com sua timidez, nem Pest, uma criança sem convicções ou princípios firmes, podem ser os heróis ou os vilões da história.

O herói da minha história, a quem amo com todas as forças da minha alma, a quem tentei expor em toda a sua beleza, e que sempre foi, é e sempre será o mais belo, é a verdade.

SEBASTOPOL EM AGOSTO DE 1855

I

No final de agosto, ao longo da estrada rochosa para Sebastopol, entre Duvanka e Bakhtchissarái, através da poeira espessa e quente, passava uma carroça leve de oficial, aquela *telejka* peculiar, que não pode ser encontrada agora, que fica a meio caminho entre uma brítchka judia, uma carruagem russa e uma carroça de cestos. Na frente da carroça, segurando as rédeas, agachava-se o criado, vestido com um casaco de nanquim e um gorro de oficial, que se tornara bastante frouxo. Sentado na parte de trás, entre trouxas e embrulhos cobertos com um casaco militar, estava um oficial de infantaria com uma capa de verão.

Assim como se podia julgar de sua posição sentada, o oficial não era alto em estatura, mas era extremamente gordo, e isso não tanto de ombro a ombro, mas de peito a costas: ele era largo e grosso, e seu pescoço e a base da cabeça eram excessivamente desenvolvidos e inchados. Sua cintura, assim chamada, uma faixa recuada no centro do corpo, não existia em seu caso, mas também não tinha barriga, pelo contrário, era mais magro do que o normal, principalmente no rosto, coberto por uma insalubre queimadura amarelada. Seu rosto teria sido bonito não fosse por uma certa aparência inchada, e as rugas suaves, mas não envelhecidas, pesadas que fluíam juntas e aumentavam suas feições, dando a todo o semblante uma expressão geral de grosseria e falta de frescor. Seus olhos eram pequenos, castanhos, extremamente penetrantes, até mesmo ousados. Seu bigode era muito grosso, mas as pontas eram mantidas constantemente curtas pelo hábito de roê-las, e seu queixo e suas maças do rosto, em particular, estavam cobertos com uma barba notavelmente forte, grossa e preta, de dois dias de crescimento.

O oficial havia sido ferido no dia 10 de maio por uma farp, na cabeça, na qual ainda usava um curativo, e, sentindo-se perfeitamente bem na última semana, saiu do Hospital Simferópol para se juntar a seu regimento que estava parado em algum lugar na direção de onde os tiros podiam ser ouvidos, mas, se isso era na própria Sebastopol, nas defesas do norte ou em Inkermann, ele ainda não tinha conseguido averiguar com muita precisão.

Os tiros ainda eram audíveis de perto, especialmente a intervalos, quando as colinas não interferiam, ou quando levados pelo vento com grande nitidez e frequência, e estavam aparentemente próximos. De repente pareceu que alguma explosão sacudiu o ar e causou um estremecimento involuntário. Então, um após o outro, seguiam-se relatos menos retumbantes em rápida sucessão, como uma batida de tambor, interrompida às vezes por um rugido surpreendente. Então, tudo se misturou em uma espécie de estrondo reverberante, parecendo com o barulho dos trovões quando uma tempestade está com força total e a chuva começa a cair em enxurradas, todos diziam, e podia-se ouvir que o bombardeio estava progredindo assustadoramente.

O oficial insistia com seu criado e parecia desejoso de chegar o mais rápido possível. Eles foram recebidos por um longo trem do tipo camponês russo, que havia carregado provisões para Sebastopol e agora estava voltando com soldados doentes e feridos em casacos cinza, marinheiros em paletós pretos, voluntários em barrica vermelha e milicianos barbudos. A carroça leve do oficial teve que parar na espessa e imóvel nuvem de poeira levantada pelas carroças, e o oficial, piscando e franzindo a testa com a poeira que enchia seus olhos e ouvidos, olhava para os rostos dos doentes e feridos enquanto passavam.

"Ah, tem um soldado doente da nossa companhia", disse o criado, virando-se para o patrão e apontando para a carroça que estava alinhada com eles, cheia de feridos, naquele momento.

Na carroça, na frente, um russo barbudo com um gorro de lã de cordeiro estava sentado de lado e, segurando a coronha do chicote sob o cotovelo, amarrava o chicote. Atrás dele na carroça, cerca de cinco soldados em posições diferentes estavam tremendo. Um, embora pálido e magro, com o braço enfaixado e o manto sobre a camisa, estava sentado bravamente no meio da carroça e tentou tocar o boné ao ver o oficial, mas logo em seguida (lembrando-se, provavelmente, que estava ferido), fingiu que só queria coçar a cabeça. Outro, ao lado dele, estava deitado no fundo da carroça, de forma que tudo o que era visível eram duas mãos agarradas aos trilhos da carroça, e seus joelhos erguidos como esfregões, balançando em várias direções. Um terceiro, com o rosto inchado e a cabeça enfaixada, sobre o qual estava colocado o boné de soldado, estava sentado de lado com as pernas penduradas no volante e, com os cotovelos apoiados nos joelhos, parecia imerso em pensamentos. Era a ele que o oficial que passava se dirigia.

"Dolzhnikoff!", ele exclamou.

"Aqui!", respondeu o soldado, abrindo os olhos e tirando o boné, com uma voz grave e trêmula, que parecia que vinte soldados haviam pronunciado uma exclamação ao mesmo tempo.

"Quando você foi ferido, irmão?"

Os olhos de chumbo e natação do soldado se animaram, ele evidentemente reconheceu seu oficial.

"Desejo saúde a Vossa Excelência!", ele começou de novo, no mesmo baixo abrupto de antes.

"Onde o regimento está estacionado agora?"

"Estava estacionado em Sebastopol, mas eles deveriam se mudar na quarta-feira, Meritíssimo."

"Para onde?"

"Não sei, deve ter sido para o Sivérnaia, Meritíssimo", acrescentou, com voz arrastada, enquanto punha o boné: "Hoje, Meritíssimo, começaram a disparar de um lado para o outro, principalmente com bombas, que chegam até à baía. Eles estão lutando horrivelmente hoje, de modo que..."

Era impossível ouvir o que mais o soldado dizia, mas era evidente, pela expressão de seu semblante e por sua atitude, que ele fazia comentários desanimadores, com o toque de malícia de um homem que está sofrendo.

O oficial viajante, tenente Kozéltsov, não era um oficial comum. Ele não era daqueles que vivem assim porque outros vivem e assim fazem, ele fazia o que queria, e outros faziam o mesmo, e estavam convencidos de que estava tudo bem. Ele era bastante dotado pela natureza de pequenos dons: cantava bem, tocava violão, falava muito habilmente e escrevia com muita facilidade, principalmente documentos oficiais, nos quais havia praticado sua mão na qualidade de ajudante do batalhão, mas o traço mais notável em seu caráter era sua energia egoísta, que, embora fundada principalmente nesse conjunto de talentos mesquinhos, constituía em si um traço agudo e marcante. Seu egoísmo era do tipo que se encontra mais frequentemente desenvolvido nos círculos masculinos e especialmente nos militares, e que se tornou parte de sua vida a tal ponto que ele não entendia outra escolha senão dominar ou humilhar-se, e seu egoísmo era a mola mestra até mesmo de seus impulsos particulares. Gostava de usurpar o primeiro lugar sobre as pessoas com as quais se equiparava.

"Nós iremos! É absurdo da minha parte ouvir o que um Moscou tagarela...", murmurou o tenente, experimentando um certo peso de apatia no coração e uma obscuridade de pensamento que a visão do transporte cheio de feridos e as palavras do soldado, cujo significado era acentuado e confirmado pelos sons do bombardeio, tinham despertado nele. "Essa Moscou é ridícula! Siga em frente, Nikoláev! Vá em frente! Você está com sono?", acrescentou, bastante irritado, ao criado, enquanto reorganizava as abas do casaco.

As rédeas foram apertadas, Nikoláev estalou os lábios e a carroça se moveu a trote.

"Só vamos parar um minuto para comer, e continuaremos imediatamente, neste mesmo dia." Disse o oficial.

II

Ao entrar na rua dos restos arruinados do muro de pedra, formando as casas tártaras de Duvanka, o tenente Kozéltsov foi parado por um transporte de bombas e metralhadoras que estavam a caminho de Sebastopol e se acumularam na estrada. Dois soldados de infantaria estavam sentados na poeira, nas pedras de um muro em ruínas à beira da estrada, devorando uma melancia e um pão.

"Você chegou longe, compatriota?", perguntou um deles enquanto mastigava o pão para o soldado, com uma pequena mochila nas costas, que havia parado perto deles.

"Vim do meu governo para me juntar ao meu regimento", respondeu o soldado, desviando os olhos da melancia e reajustando o saco nas costas. "Lá estávamos, há duas semanas, trabalhando no feno, uma tropa inteira, mas agora eles recrutaram todos nós, e não sabemos onde está nosso regimento no momento. Dizem que nossos homens foram no Korabélnaia na semana passada. Ouviram alguma coisa, cavalheiros?"

"Está estacionado na cidade, irmão", disse o segundo, um velho soldado da reserva, cavando com seu canivete a melancia. "Acabamos de chegar de lá, esta tarde. É terrível, meu irmão!"

"Como assim, senhores?"

"Você não ouve como eles estão atirando por toda parte hoje, de modo que não há um ponto inteiro em qualquer lugar? É impossível dizer quantos de nossos irmãos foram mortos". E o orador acenou com a mão e ajustou o boné.

O soldado que passava balançou a cabeça pensativo, deu um estalo com a língua, depois tirou o cachimbo da perna da bota e, sem enchê-lo, agitou o tabaco meio queimado, acendeu um pedaço de isca do soldado que fumava e levantou o boné.

"Não há ninguém como Deus, senhores! Adeus", disse ele, e, sacudindo o saco nas costas, seguiu seu caminho.

"Ei! É melhor esperar", disse o homem que estava cavando a melancia, com ar de convicção.

"Não faz diferença!", murmurou o viajante, abrindo caminho entre as rodas dos transportes reunidos.

III

A estação de correio estava cheia de gente quando Kozéltsov chegou até ela. A primeira pessoa que encontrou, na própria varanda, foi um homem magro e muito jovem, o superintendente, que continuou sua briga com dois oficiais que o seguiram para fora.

"Não são apenas três dias, mas dez que você terá que esperar. Até os generais esperam, meus bons senhores!", exclamou o superintendente, com vontade de dar uma surra nos viajantes. "E eu não vou adiantar para você."

"Então não dê cavalos a ninguém, se não houver nenhum! Mas por que fornecê-los a um lacaio ou outro com bagagem?", gritou o mais velho dos dois oficiais, com uma xícara de chá na mão e claramente evitando o uso de pronomes, mas dando a entender que ele poderia muito facilmente se dirigir ao superintendente como "tu".

"Julgue por si mesmo, agora, Sr. Superintendente", disse o oficial mais jovem, com alguma hesitação. "Nós não queremos ir para nosso próprio prazer. Certamente devemos ser necessários, pois fomos chamados. E certamente me reportarei ao general. Mas com isso, é claro, você sabe que não está prestando o devido respeito à profissão militar."

"Você está sempre estragando as coisas." O homem mais velho interrompeu, com irritação. "Você só me atrapalha, você deve saber como falar com eles. Aqui, agora, ele perdeu o respeito. Cavalos neste instante, eu ordeno!"

"Eu estaria, sem dúvidas, muito feliz em dá-los a você, mas onde posso obtê-los?"

Depois de um breve silêncio, o superintendente começou a ficar irritado e a falar, agitando as mãos ao mesmo tempo.

"Eu entendo. E eu mesmo sei tudo sobre isso. Mas o que você vai fazer? Apenas me dê." Nesse momento, um raio de esperança brilhou nos rostos dos oficiais. "Apenas me dê uma chance de viver até o final do mês, e você não me verá mais aqui. Prefiro ir à torre Malákhov, pelos céus, do que ficar aqui. Deixe-os fazer o que quiserem sobre isso! Não há uma única equipe de som na estação neste dia, e os cavalos não viram um punhado de feno nesses três dias." E o superintendente desapareceu atrás do portão.

Kozéltsov entrou na sala em companhia dos oficiais.

"Bem...", disse o oficial mais velho, com bastante calma, para o mais jovem, embora apenas um segundo antes ele parecesse muito irritado. "Estamos viajando há três semanas e vamos esperar um pouco mais. Não há nenhum mal-feito. Finalmente chegaremos lá."

Sebastopol

O apartamento sujo e enfumaçado estava tão cheio de oficiais e baús que foi com dificuldade que Kozéltsov encontrou um lugar perto da janela, onde se sentou e começou a enrolar um cigarro, enquanto olhava para os rostos e prestava atenção às conversas.

À direita da porta, perto de uma mesa aleijada e engordurada, sobre a qual estavam dois samovars, cujo cobre tinha esverdeado em alguns pontos, aqui e ali, e onde o açúcar era repartido em vários papéis, sentava-se o grupo principal. Um jovem oficial, sem bigode, com um casaco de verão novo, curto e acolchoado, estava despejando água no bule.

Quatro desses jovens oficiais estavam lá, em diferentes cantos da sala. Um deles havia colocado uma capa sob a cabeça e dormia profundamente no sofá. Outro, de pé junto à mesa, cortava um pouco de carneiro assado para um oficial sem braço, que estava sentado à mesa.

Dois oficiais, um com manto de ajudante, o outro com manto de infantaria, porém fino, e com uma bolsa pendurada no ombro, estavam sentados perto da bancada do forno, e era evidente, pela própria maneira como olhavam quanto ao resto, e pela maneira como o da bolsa fumava seu charuto, que não eram oficiais de linha de serviço na linha de frente, e que estavam encantados com isso.

Não que houvesse qualquer desprezo aparente em seus modos, mas havia uma certa tranquilidade de autossatisfação, fundada em parte no dinheiro e em parte no íntimo relacionamento que possuíam com os generais, uma certa consciência de superioridade que se estendia até mesmo ao desejo de escondê-la.

Um jovem médico de lábios grossos e um oficial de artilharia, com um semblante alemão, estavam sentados quase aos pés do jovem oficial que dormia no sofá e contava seu dinheiro.

Havia quatro criados dos oficiais, alguns cochilando e outros ocupados com os baús e pacotes perto da porta.

Entre todos esses rostos, Kozéltsov não encontrou nenhum familiar, mas começou a ouvir com curiosidade as conversas. Os jovens oficiais, que, como ele, decidiram apenas pela aparência, tinham acabado de sair da academia militar, o agradaram e, sobretudo, lembraram-lhe que seu irmão também tinha vindo da academia, e deveria juntar-se recentemente a uma das baterias de Sebastopol.

Mas o oficial da bolsa, cujo rosto ele já havia visto em algum lugar, parecia-lhe ousado e repulsivo. Ele até saiu da janela e, indo até a bancada do fogão, sentou-se nela, com o pensamento de que derrubaria o sujeito se colocasse na cabeça dizer alguma coisa. Ele, como um corajoso oficial de linha, não só não gostava, como se sentia revoltado com os oficiais do Estado-Maior, categoria que reconheceu, à primeira vista, naqueles dois oficiais.

IV

"Isso é terrivelmente irritante.", disse um dos jovens oficiais. "Estar tão perto e ainda não poder chegar lá. Talvez haja uma ação neste mesmo dia, e não estaremos lá."

Na voz aguda e no frescor mosqueado da cor que varreu o rosto jovem desse oficial enquanto falava, era evidente a doce timidez do homem que está constantemente com medo de que cada palavra sua não saia exatamente como gostaria.

O oficial de um braço só olhou para ele com um sorriso.

"Você vai chegar lá em breve, eu lhe asseguro", disse ele.

O jovem oficial olhou com respeito para o rosto abatido do oficial sem braços, tão inesperadamente iluminado por um sorriso, calou-se por um tempo e ocupou-se mais uma vez com seu chá. De fato, o rosto do oficial de um braço só, sua atitude e, acima de tudo, a manga vazia de seu casaco, expressavam muito daquela tranquila indiferença que pode ser explicada dessa maneira – que ele considerava cada conversa e cada ocorrência, embora dissesse: "Isso está indo muito bem, eu sei tudo sobre isso, e posso fazer um pouco disso sozinho, se eu apenas desejar."

"Qual será a nossa decisão?", perguntou o jovem oficial novamente ao seu companheiro de casaco curto. "Devemos passar a noite aqui, ou devemos prosseguir com nossos próprios cavalos?"

Seu camarada recusou-se a prosseguir.

"Imagine, capitão", disse aquele que servia o chá, virando-se para o homem de um braço só e pegando a faca que este havia deixado cair "Eles nos disseram que os cavalos eram assustadoramente caros em Sebastopol, então compramos um cavalo em parceria em Simferópol."

"Eles fizeram você pagar um preço muito alto por isso, eu acho."

Sebastopol

"Realmente, eu não sei, capitão. Pagamos noventa rublos por ele e pela equipe. Isso é muito?", perguntou, virando-se para toda a companhia e para Kozéltsov, que o encarava.

"Não foi caro, se o cavalo é jovem", disse Kozéltsov.

"Sério? Mas eles nos disseram que era caro. O único problema é que ele manca um pouco, mas isso vai passar. Eles nos disseram que ele é muito forte."

"De que academia você é?", perguntou Kozéltsov, que queria perguntar pelo irmão.

"Somos apenas da academia da nobreza. Somos seis e estamos a caminho de Sebastopol a nosso próprio desejo", disse o jovem oficial falante. "Mas não sabemos onde está nossa bateria, alguns dizem que é em Sebastopol, outros dizem que é em Odessa."

"Não foi possível descobrir em Simferópol?", perguntou Kozéltsov.

"Eles não souberam nos informar. Imagine, um de nossos camaradas foi ao quartel-general lá, e foram impertinentes com ele. Você pode imaginar como isso foi desagradável! Você gostaria que eu fizesse um cigarro para você? Perguntou naquele momento para o oficial de um braço só, que estava pegando sua máquina de cigarros.

Ele atendeu o último com uma espécie de entusiasmo servil.

"E você também é de Sebastopol?", ele continuou. "Oh, meu Deus, como isso é maravilhoso! O quanto pensamos em você e em todos os nossos heróis em Petersburgo!", exclamou ele, virando-se para Kozéltsov com respeito e lisonja bem-humorada.

"E agora, talvez, você possa ter que voltar?", perguntou o tenente.

"É exatamente disso que temos medo. Você pode imaginar que, depois de ter comprado o cavalo, e de termos providenciado tudo o que é necessário, uma cafeteira com lamparina e outras ninharias indispensáveis, não temos mais dinheiro", disse ele em voz baixa, enquanto olhava para seus companheiros. "Se tivermos que voltar, não saberíamos o que fazer."

"Você não recebeu dinheiro para despesas de viagem?", perguntou Kozéltsov.

"Não", respondeu ele, num sussurro. "Eles prometeram nos fornecer o dinheiro para essas despesas aqui."

"Você tem o certificado?"

"Eu sei que o principal é o certificado, mas um senador em Moscou, ele é meu tio, e quando eu estava na casa dele, ele disse que eles nos dariam aqui, caso contrário, ele mesmo teria me dado um pouco. Então eles vão nos dar aqui?"

"Com certeza eles vão."

"Eu também acho que sim", disse ele, num tom que mostrava que, depois de ter feito a mesma pergunta idêntica em trinta postos de correio e de ter recebido respostas diferentes em todos os lugares, ele não acreditava em mais ninguém implicitamente.

V

"Quem pediu sopa de beterraba?", chamou a dona da casa desleixada, uma mulher gorda de quarenta anos, ao entrar na sala com uma tigela de sopa.

A conversa cessou imediatamente e todos os que estavam na sala fixaram os olhos na mulher.

"Ah, foi Kozéltsov quem pediu", disse o jovem oficial. "Ele deve ser acordado. Levante-se para o jantar", ele disse, aproximando-se do dorminhoco no sofá, e movimentando seu cotovelo.

Um jovem de dezessete anos, com olhos negros alegres e bochechas vermelhas saltou energicamente do sofá e ficou no meio da sala, esfregando os olhos.

"Ah, desculpe-me, por favor", disse ele ao médico, em quem havia tropeçado ao se levantar.

O tenente Kozéltsov reconheceu seu irmão imediatamente e se aproximou dele.

"Você não me reconhece?", ele perguntou com um sorriso.

"Ah!", exclamou o irmão mais novo. "Isso é surpreendente!" E ele começou a beijar seu irmão.

Eles se beijaram no rosto duas vezes, mas pararam na terceira repetição como se o pensamento tivesse ocorrido a ambos.

"Por que é necessário fazer exatamente três vezes?"

"Bem, como estou feliz!", disse o mais velho, olhando para o irmão. "Vamos sair para a varanda, precisamos conversar".

"Venha, venha, não quero sopa. Você come, Federsohn!", disse ao seu camarada.

"Mas você queria algo para comer."

"Eu não quero nada."

Quando eles saíram na varanda, o mais novo não parava de perguntar ao irmão: "Bem, como você está, me fale sobre isso." E ainda continuava dizendo como estava feliz em vê-lo, mas ele mesmo não disse nada.

Passados cinco minutos, durante os quais conseguiram ficar um pouco calados, o irmão mais velho perguntou por que o mais novo não tinha entrado nos guardas, como todos esperavam que ele fizesse.

Ele queria chegar a Sebastopol o mais rápido possível, disse ele, pois se as coisas fossem favoráveis lá, ele poderia progredir mais rapidamente lá do que nos guardas. Lá são necessários dez anos para atingir o grau de coronel, enquanto aqui Totlében subiu em dois anos de tenente--coronel a general. Bem, e se alguém fosse morto, não haveria nada a ser feito.

"Que sujeito você é!", disse seu irmão, sorrindo.

"Mas o principal, você sabe, irmão", disse o mais novo, sorrindo e corando como se estivesse se preparando para dizer algo muito vergonhoso. "Tudo isso é bobagem, e a principal razão pela qual eu perguntei foi que eu estava envergonhado de viver em Petersburgo quando os homens estão morrendo por seu país aqui. Sim, e eu queria estar com você", acrescentou, com ainda mais vergonha.

"Que absurdo!", disse o irmão mais velho, pegando sua máquina de cigarros, e nem mesmo olhando para ele. "É uma pena, porém, que não possamos ficar juntos."

"Agora, honestamente, é tão terrível nos bastiões?", perguntou o jovem, abruptamente.

"É terrível no começo, mas depois você se acostuma. Não é nada. Você verá por si mesmo."

"E me diga ainda outra coisa. O que você acha? Sebastopol será tomada? Acho que não vai."

"Só Deus sabe!"

"Mas uma coisa é irritante. Imagine só que azar! Um pacote inteiro foi roubado de nós na estrada, e tinha minha barretina dentro, de modo que agora estou em uma situação terrível, e não sei como vou me mostrar."

Leon Tolstói

O Kozéltsov mais jovem, Vladímir, se parecia muito com seu irmão Mikháïl, mas se assemelhava a ele como uma roseira em flor se assemelha a uma que está desabrochada. Seu cabelo também era castanho, mas era grosso e caía em cachos nas têmporas. Na nuca macia e branca havia uma mecha loira, um sinal de boa sorte, assim dizem as enfermeiras. O carmesim da juventude não se fixou no tom suave e branco de seu rosto, mas brilhou e traiu todos os movimentos de sua mente. Ele tinha os mesmos olhos que seu irmão, mas eles eram mais abertos e mais claros, o que parecia mais peculiar porque eram frequentemente velados por uma leve umidade. Uma penugem dourada brotava em suas bochechas e sobre seus lábios corados, que muitas vezes se dobravam em um sorriso tímido, exibindo dentes de uma brancura deslumbrante. Era um sujeito bem formado e de ombros largos, de casaco desabotoado, por baixo do qual se via uma camisa vermelha com gola virada para trás. Parado diante do irmão, apoiando os cotovelos no parapeito da varanda, com o cigarro na mão e uma alegria inocente no rosto e no gesto, ele era um jovem tão agradável e gracioso que qualquer um teria olhado para ele com deleite. Ele estava extremamente satisfeito com seu irmão, olhava para ele com respeito e orgulho, imaginando-o seu herói, mas de certa forma, no que diz respeito a julgamentos sobre a cultura mundana, habilidade para falar francês, comportamento na sociedade de pessoas ilustres, dança e assim por diante, ele tinha um pouco de vergonha dele, menosprezava-o e até nutria uma esperança de melhorá-lo se tal coisa fosse possível.

Todas as suas impressões, até agora, foram de Petersburgo, na casa de uma senhora que gostava de rapazes bonitos, e que o fizera passar as férias com ela, e de Moscou, na casa de um senador, onde ele já havia dançado em um grande baile.

VI

Tendo quase falado o suficiente e tendo chegado à sensação que você experimenta com frequência, que há pouco em comum entre vocês, embora vocês se amem, os irmãos ficaram em silêncio por alguns momentos.

"Pegue suas coisas e partiremos imediatamente", disse o ancião.

O mais novo de repente corou, gaguejou e ficou confuso.

Sebastopol

"Vamos direto para Sebastopol?", ele perguntou, após uma pausa momentânea.

"Sim. Você não tem muita bagagem. Podemos carregá-las, eu acho."

"Muito bom! Vamos começar imediatamente", disse o mais novo, com um suspiro, e entrou.

Mas ele parou no vestíbulo sem abrir a porta, baixou a cabeça tristemente e começou a refletir.

"Direto para Sebastopol, no mesmo instante, dentro do alcance das bombas... assustador! Não importa, no entanto, deveria ter vindo em algum momento. Agora, em todo caso, com meu irmão..."

O fato é que só agora, ao pensar que, uma vez sentado na carroça, ele deveria entrar em Sebastopol sem desmontar dela, e que nenhum acaso poderia mais detê-lo, que o perigo que ele procurava se apresentava claramente para ele, ele ficou perturbado com o próprio pensamento sobre sua proximidade. Ele conseguiu se controlar de alguma forma e entrou na sala, mas passou um quarto de hora e ele ainda não tinha se reunido com seu irmão, de modo que este finalmente abriu a porta para chamá-lo. O Kozéltsov mais jovem, na atitude de um colegial travesso, estava dizendo algo a um oficial chamado P., e quando seu irmão abriu a porta, ficou totalmente confuso.

"Imediatamente. Eu vou sair em um minuto!", ele gritou, acenando com a mão para seu irmão. "Espere por mim lá, por favor."

Um momento depois ele emergiu, de fato, e se aproximou de seu irmão, com um profundo suspiro.

"Apenas imagine! Eu não posso ir com você, irmão", ele disse.

"O quê? Que bobagem é essa?"

"Eu vou lhe contar toda a verdade, irmão! Nenhum de nós tem dinheiro, e estamos todos em dívida para com aquele capitão do Estado-Maior que você viu lá. É terrivelmente mortificante!"

O irmão mais velho franziu a testa e não quebrou o silêncio por um longo tempo.

"Você deve muito?", ele perguntou, olhando de soslaio para seu irmão.

"Não, não muito, mas estou terrivelmente envergonhado disso. Ele pagou por mim três etapas, e todos os seus fundos acabaram, então eu não sei. Além disso, nós jogamos. Estou um pouco em dívida com ele também."

"Isso é ruim! Agora, o que você teria feito se não tivesse me encontrado?", disse o mais velho, com severidade, sem olhar para o irmão.

"Ora, eu estava pensando, irmão, que eu deveria pegar aquele dinheiro de viagem em Sebastopol, e que eu o daria a ele. Certamente isso pode ser feito, e será melhor para mim ir com ele amanhã."

O irmão mais velho tirou a bolsa e, com os dedos um pouco trêmulos, tirou duas notas de dez rublos e uma de três rublos.

"Este é todo o dinheiro que tenho", disse ele. "Quanto você deve?"

Kozéltsov não falou a verdade exata quando disse que este era todo o dinheiro que ele tinha. Tinha, além disso, quatro moedas de ouro costuradas no punho, para o caso de uma emergência, mas ele havia feito um voto de não as tocar.

Parecia que ele estava devendo apenas oito rublos. O irmão mais velho deu-lhe esta soma, apenas comentando que não se deve jogar quando não se tem dinheiro.

"Para quem você perdeu?"

O irmão mais novo não respondeu uma palavra. A pergunta do irmão lhe pareceu lançar uma reflexão sobre sua honra. A irritação consigo mesmo, a vergonha de sua conduta, que poderia suscitar tal suspeita, e o insulto do irmão, de quem tanto gostava, produziram em sua natureza sensível uma impressão tão profundamente dolorosa que ele não respondeu. Ciente de que não estava em condições de conter os soluços que lhe subiam pela garganta, pegou o dinheiro sem olhar para ele e voltou para junto dos camaradas.

VII

Nikoláev, que se fortificara em Duvanka com dois jarros de vodka comprados de um soldado que a vendia na ponte, deu um puxão nas rédeas, e a parelha saiu aos solavancos pela estrada pedregosa, sombreada aqui e ali, que levava ao longo do Belbek até Sebastopol, mas os irmãos, cujas pernas se acotovelavam, mantinham um silêncio obstinado, embora pensassem um no outro a cada instante.

"Por que ele me insultou?", pensou o mais novo. "Ele não poderia ter segurado a língua sobre isso? É exatamente como se ele pensasse que eu era um ladrão. E agora ele está com raiva, aparentemente, de modo que brigaremos para sempre. E como teria sido esplêndido estarmos juntos em Sebastopol. Dois irmãos, em termos amigáveis, ambos lutando contra o inimigo! Um deles, o mais velho, embora não muito culto, mas um guerreiro valente, e o outro mais jovem, mas também um sujeito corajoso. Em uma semana, eu teria mostrado a eles que, afinal, não sou tão jovem! Deixarei de corar, haverá masculinidade em meu semblante e, embora meu bigode não seja muito grande agora, cresceria para um bom tamanho nessa época." E ele sentiu a penugem que estava surgindo nas bordas de sua boca. "Talvez cheguemos hoje e entremos diretamente no conflito, meu irmão e eu. Ele deve ser obstinado e muito corajoso, daqueles que não falam muito, mas agem melhor que os outros. Eu gostaria de saber...", continuou, "se ele está me apertando contra a lateral da carroça de propósito ou não. Ele provavelmente está consciente de que me sinto estranho e está fingindo não me notar. Chegaremos hoje." Continuou ele com seu argumento, aproximando-se da lateral da carroça e temendo mover-se para que seu irmão não percebesse que ele estava desconfortável. "E, de repente, iremos direto para o bastião. Nós dois iremos juntos, eu com meus equipamentos e meu irmão com sua companhia. De repente, os franceses se jogarão sobre nós. Eu começo a atirar, e atiro neles. Eu mato um número terrível, mas eles ainda continuam a correr direto para mim. Agora, é impossível disparar por mais tempo, e não há esperança para mim. De repente, meu irmão corre na frente com sua espada, e eu pego minha arma, e nós corremos com os soldados. Os franceses se atiram em meu irmão. Eu me apresso, mato um francês, depois outro, e salvo meu irmão. Estou ferido em um braço. Pego minha arma com a outra mão e continuo minha fuga, mas meu irmão é morto ao meu lado pelas balas. Paro por um momento e olho para ele com imensa tristeza, depois me endireito e grito: 'Siga-me! Nós o vingaremos! Eu amava meu irmão mais do que qualquer um no mundo', direi, 'e o perdi. Vamos vingá-lo! Vamos aniquilar o inimigo, ou vamos todos morrer juntos lá!" Todos gritam e se lançam atrás de mim. Então todo o exército francês faz uma surtida, incluindo o próprio Pelissier. Todos nós lutamos, mas, por fim, sou ferido uma segunda vez, uma terceira vez, e caio, quase morto. Então, todos correm até mim. Gortchakoff se aproxima e pergunta se eu gostaria de alguma coisa. Digo que não quero nada, exceto que eu possa ser colocado ao lado de meu irmão, que desejo morrer com ele. Eles me carregam e me deitam ao lado do cadáver ensanguentado de meu irmão. Então eu me levantarei e apenas direi: "Você não entendeu como dar valor a dois homens que realmente amavam sua pátria, agora ambos caíram, e que Deus o perdoe!" E morrerei.

Quem sabe em que medida esses sonhos serão realizados?

"Você já esteve em uma luta corpo a corpo?", perguntou de repente ao irmão, esquecendo-se por completo de que não pretendia falar com ele.

"Não, nem uma vez", respondeu o ancião. "Nosso regimento perdeu dois mil homens, todos trabalhando, e eu também fui ferido ali. A guerra não acontece como você imagina, Volódia."

A palavra "Volódia" tocou o irmão mais novo. Ele queria chegar a uma explicação com seu irmão, que não tinha a menor ideia de que ele o havia ofendido.

"Você está com raiva de mim?", ele perguntou, depois de um silêncio momentâneo.

"A respeito de quê?"

"Não, nada."

"Nem um pouco", respondeu o ancião, virando-se para ele e dando-lhe um tapa na perna.

"Então me perdoe, se eu o magoei."

E o irmão mais novo virou-se para o lado, a fim de esconder as lágrimas que de repente começaram a brotar em seus olhos.

VIII

"Isso já é Sebastopol?", perguntou o irmão mais novo, enquanto subiam a colina.

E diante deles apareceu a baía, com seus mastros de navios, sua navegação e o mar, com a frota hostil ao longe. As baterias brancas na praia, os quartéis, os aquedutos, as docas, os edifícios da vila e as nuvens de fumo branco e lilás erguendo-se incessantemente sobre as colinas amarelas que rodeavam a vila e se destacavam contra o céu azul. Os raios róseos do sol que se refletiam nas ondas e afundavam em direção ao horizonte do mar sombrio.

Sebastopol

Volodia, sem estremecer, contemplou aquele lugar terrível em que tanto pensara, ao contrário, ele o fez com um prazer estético e um senso heroico de autossatisfação com a ideia de que aqui estava ele, e ele estaria lá em outra meia hora, que ele veria aquele espetáculo realmente encantador e original, e olhou com atenção concentrada desde aquele momento até chegarem à fortificação norte, a comboio de bagagens do regimento do seu irmão, onde deviam averiguar com certeza a situação do regimento e da bateria.

O oficial encarregado do trem morava perto da chamada cidade nova (cabanas construídas de tábuas pelas famílias dos marinheiros), em uma barraca ligada a um galpão razoavelmente grande, construído com galhos verdes de carvalho, que ainda não estavam inteiramente murchos.

Os irmãos encontraram o oficial sentado diante de uma mesa gordurosa, sobre a qual havia uma xícara de chá frio, uma bandeja com vodca, migalhas de ovas secas de esturjão e pão, vestido apenas com uma camisa de tom amarelo sujo e empenhado em contar uma enorme pilha de notas bancárias em um grande ábaco.

Mas antes de descrever a personalidade do oficial e sua conversa, é indispensável que inspecionemos com mais atenção o interior de seu galpão e conheçamos um pouco, pelo menos, seu modo de vida e suas ocupações. O novo galpão, como os construídos para generais e comandantes de regimento, era grande, de vime cerrado e confortavelmente arrumado, com mesinhas e bancos de turfa. As laterais e o teto estavam pendurados com três tapetes, para evitar que as folhas caíssem, e, embora extremamente feias, eram novas e certamente caras.

Sobre a cama de ferro que ficava sob o tapete principal com uma jovem amazona retratada, havia uma colcha de pelúcia, de um carmesim brilhante, um travesseiro rasgado e sujo e uma capa de guaxinim. Sobre a mesa havia um espelho em moldura de prata, uma escova de prata assustadoramente suja, um pente de chifre quebrado cheio de cabelos oleosos, um castiçal de prata, uma garrafa de licor com uma enorme etiqueta dourada e vermelha, um relógio de ouro com um retrato de Pedro I., duas canetas de ouro, uma pequena caixa contendo algum tipo de pílulas, uma côdea de pão, alguns cartões velhos e várias garrafas, cheias e vazias, debaixo da cama.

Este oficial estava encarregado do comissariado do regimento e da forragem dos cavalos. Com ele vivia seu grande amigo, o comissário encarregado das operações.

No momento em que os irmãos entraram, este estava dormindo na cabine, e o comissário fazia suas contas do dinheiro do governo, antecipando o fim do mês. O oficial comissário tinha um exterior muito gracioso e guerreiro. Sua estatura era alta, seu bigode enorme e ele possuía uma quantidade respeitável de gordura. Os únicos pontos desagradáveis nele eram uma certa transpiração e inchaço de todo o rosto, que quase escondia seus olhinhos cinzentos (como se estivesse cheio de cerveja), e uma excessiva falta de limpeza, desde o cabelo fino e oleoso da cabeça até os pés, grandes e descalços, enfiados em uma espécie de chinelos de arminho.

"Dinheiro, dinheiro!", exclamou Kozéltsov número um, entrando no galpão e fixando os olhos, com cobiça involuntária, na pilha de notas. "Você pode me emprestar metade disso, Vassíli Mikhaílitch!"

O oficial comissário encolheu-se ao ver seus visitantes e, varrendo seu dinheiro, curvou-se para eles sem se levantar.

"Ah, se ao menos pertencesse a mim! É dinheiro do governo, meu caro. E quem é esse que vem com você?", disse ele, enfiando o dinheiro em um cofre que estava ao lado dele e olhando para Volódia.

"Este é meu irmão, que acabou de chegar da academia militar. Nós dois viemos descobrir com você onde nosso regimento está estacionado."

"Sentem-se, senhores", disse o oficial, levantando-se e entrando no galpão, sem prestar atenção aos convidados. "Vocês não querem beber alguma coisa?", ofereceu.

"Não se exponha, Vassíli Mikhaílitch."

Volodia ficou impressionado com o tamanho do oficial comissário, com seu descuido de maneiras e o respeito com que seu irmão se dirigiu a ele.

"Pode ser um de seus excelentes oficiais, a quem todos respeitam. Realmente, ele é simples, mas hospitaleiro e corajoso", pensou, sentando-se de maneira tímida e modesta no sofá.

"Onde está nosso regimento, então?", chamou seu irmão mais velho para a cabana de tábuas.

"O quê?"

Ele repetiu sua pergunta.

"Zeifer esteve aqui hoje. Ele me disse que eles haviam se mudado para o quinto bastião."

"Isso é verdade?"

"Se digo isso, deve ser verdade. Você não quer mesmo beber algo?", disse o comissário, ainda da tenda.

"Vou beber, já que você insiste", disse Kozéltsov.

"E você, quer uma bebida, Óssip Ignátievitch?", continuou a voz na tenda, aparentemente se dirigindo ao comissário adormecido. "Você já dormiu o suficiente, são cinco horas."

"Por que você se preocupa? Não estou dormindo", respondeu uma vozinha estridente e lânguida.

"Venha, levante-se! Achamos estúpido sem você."

E o oficial comissário saiu para ver seus convidados.

"Traga algum carregador de Simferópol!", ele gritou.

Um criado entrou na cabine, com uma expressão altiva de semblante, como pareceu a Volódia, e, tendo empurrado Volódia, ele puxou a bebida de debaixo do banco.

A garrafa logo se esvaziou e a conversa continuou no mesmo estilo por um longo tempo. De repente a aba da tenda se abriu e saiu um homem baixo, de cor fresca, em um roupão azul com borlas, usando um boné com borda vermelha e um cocar. No momento de sua aparição, alisava o bigode preto e, com o olhar fixo nos tapetes, respondeu aos cumprimentos do oficial com um movimento quase imperceptível dos ombros.

"Vou beber um copo pequeno também!", disse ele, sentando-se ao lado da mesa. "O que é isso, você veio de Petersburgo, jovem?", ele perguntou, virando-se cortesmente para Volódia.

"Sim, senhor, estou a caminho de Sebastopol."

"Você mesmo fez a inscrição?"

"Sim, senhor."

"Que gostos estranhos vocês têm, cavalheiros! Eu não entendo isso!", continuou o comissário. "Sinto que eu poderia viajar a pé para Petersburgo, se pudesse fugir. Pelos céus, estou cansado desta vida amaldiçoada!"

"O que há nisso que não combina com você?", disse o Kozéltsov mais velho, virando-se para ele. "Você é a última pessoa a reclamar da vida aqui!"

O comissário lançou-lhe um olhar e depois virou-se.

"Esse perigo, essas privações, é impossível conseguir qualquer coisa aqui", continuou ele, dirigindo-se a Volódia. "E por que vocês se voluntariam para passar por essa provação, cavalheiros, eu realmente não consigo entender. Se houvesse alguma vantagem a ser derivada disso, mas não há nada do tipo. Não seria uma coisa boa se você, na sua idade, ficasse aleijado pelo resto da vida?"

"Alguns precisam do dinheiro, e alguns servem por causa da honra!", disse o Kozéltsov mais velho, em tom de irritação, juntando-se à discussão mais uma vez.

"Para que serve a honra, quando não há nada para comer?", questionou o comissário com uma risada desdenhosa, virando-se para o companheiro, que também riu disso. "Dê-nos algo de 'Lucia', vamos ouvir", disse ele, apontando para a caixa de música. "Eu amo isso."

"Bem, aquele Vassíli Mikhaílitch é um bom homem?", Volodia perguntou ao irmão quando eles saíram da cabine ao anoitecer e seguiram seu caminho para Sebastopol.

"De jeito nenhum, é tão mesquinho que é um terror perfeito! E eu não posso suportar a visão daquele comissário, e vou dar uma surra nele um dia desses."

IX

Volodia não estava exatamente mal quando, quase ao anoitecer, chegaram à grande ponte sobre a baía, mas sentiu um certo peso no coração. Tudo o que ele tinha ouvido e visto estava tão pouco em consonância com as impressões que haviam passado recentemente: a enorme e leve sala de exames, com seu piso polido, as vozes e risadas amáveis e alegres de seus camaradas, o novo uniforme, seu amado czar, que ele estava acostumado a ver nos últimos sete anos, e que, quando partiram, chamou-os de seus filhos, com lágrimas nos olhos, e tudo o que ele tinha visto tão pouco se assemelhava a seus sonhos muito bonitos, em tons de arco-íris magníficos.

Sebastopol

"Bem, aqui estamos nós, finalmente!", informou o irmão mais velho quando chegaram à bateria de Mikhaílovsky e desmontaram da carroça. "Se nos deixarem passar a ponte, iremos diretamente ao quartel de Nikoláevski. Você fica lá até de manhã, e eu irei ao regimento e descobrirei onde sua bateria está estacionada, e amanhã irei buscá-lo."

"Mas por quê? Seria melhor se nós dois fôssemos juntos", disse Volódia. "Eu irei para o bastião com você, não fará nenhuma diferença, vou ter que me acostumar. Se você for, eu também quero ir."

"Melhor não ir."

"Não, por favor. Eu sei, pelo menos, que..."

"Meu conselho é não ir, mas se você escolher..."

O céu estava escuro, mas era constantemente iluminado pelos fogos das bombas em incessante movimento e suas descargas brilhavam através da escuridão. O grande edifício branco da bateria e o início da ponte destacavam-se na escuridão. Literalmente, a cada segundo várias descargas de artilharia e explosões, uma após a outra em rápida sucessão ou ocorrendo simultaneamente, sacudiam o ar com trovões e nitidez crescentes. Por meio desse rugido, e como se o repetisse, o som melancólico das ondas era audível. Uma brisa fraca soprava do mar, e o ar estava pesado de umidade. Os irmãos pisaram na ponte. Um soldado bateu com a arma desajeitadamente em seu braço e gritou:

"Quem vai lá?"

"Um soldado."

"As ordens são para não deixar ninguém passar!"

"Temos negócios! Devemos passar!"

"Pergunte ao oficial."

O oficial, que estava cochilando sentado em uma âncora, levantou-se e deu a ordem de deixá-los passar.

"Você pode ir por ali, mas não por aqui. Para onde você está indo, tudo está amontoado!", ele gritou para os vagões de transporte empilhados com gabiões, que se aglomeraram em torno da entrada.

Ao descerem, os irmãos encontraram soldados que vinham de lá e falavam alto.

"Se ele recebeu seu dinheiro de munição, então ele acertou suas contas por completo, foi isso que aconteceu!"

"Ei, irmãos!", disse outra voz. "Quando vocês chegarem ao Sévernaia, vocês verão o mundo pelos céus! O ar é totalmente diferente."

"Você pode dizer mais!", disse o primeiro orador. "Uma concha amaldiçoada voou lá outro dia e arrancou as pernas de dois marinheiros, de modo que..."

Os irmãos atravessaram enquanto esperavam o primeiro vagão, e pararam no segundo, que já estava parcialmente inundado. A brisa, que parecia fraca no interior, era muito forte aqui e vinha em rajadas. A ponte balançava para lá e para cá, e as ondas, batendo ruidosamente contra as vigas e rasgando os cabos e âncoras, inundavam as tábuas. À direita, o mar sombrio e hostil rugia e escurecia, separado por uma interminável linha preta e plana do horizonte estrelado, que era cinza-claro em seu brilho. Luzes piscavam ao longe na frota inimiga. À esquerda, erguiam-se os mastros negros de uma de nossas embarcações, e era possível ouvir as ondas batendo contra seu casco. Um navio a vapor era visível, movendo-se ruidosa e rapidamente no Sévernaia.

O clarão de uma bomba que explodiu perto dele iluminou por um momento os altos montes de gabiões no convés, dois homens que estavam de pé sobre ele, e a espuma branca e os jatos de ondas esverdeadas, enquanto o vapor passava por eles. Na beira da ponte, com as pernas penduradas na água, estava sentado um homem com camisa de mangas, consertando alguma coisa ligada à ponte. Na frente, sobre Sebastopol, flutuavam as mesmas fogueiras e os sons terríveis ficavam cada vez mais altos. Uma onda veio do mar, passou pelo lado direito da ponte e molhou os pés de Volódia. Dois soldados passaram por eles arrastando os pés pela água. De repente, algo explodiu com um estrondo e iluminou a ponte à frente deles, a carroça passando por ela e um homem a cavalo. Os estilhaços caíram nas ondas com um silvo e enviaram a água em salpicos.

"Ah, Mikhaílo Semyónitch!", disse o cavaleiro, parando, freando seu cavalo na frente do velho Kozéltsov. "Você já se recuperou totalmente?"

"Como você pode ver. Para onde Deus está levando você?"

"Para o Sévernaia, para buscar cartuchos. Estou a caminho do ajudante do regimento... esperamos um ataque amanhã, a qualquer hora."

"E onde está Mártzov?"

Sebastopol

"Ele perdeu uma perna ontem, está na cidade, dormindo em seu quarto... Você deve encontrá-lo no posto de socorro."

"O regimento está no quinto bastião, não é?"

"Sim, tomou o lugar do regimento M. Sugiro que vá ao hospital de campanha, alguns de nossos homens estão lá, e eles serão capazes de lhe mostrar o caminho."

"Bem, e meus aposentos no Morskáia ainda estão intactos?"

"Ora, meu bom amigo, eles foram despedaçados há muito tempo pelas bombas. Você não reconhecerá Sebastopol agora, não há uma única mulher lá agora, nem pousadas nem música, e o último estabelecimento partiu ontem. Tornou-se terrivelmente sombrio lá agora... Adeus!"

E o oficial seguiu seu caminho a trote.

De repente, Volódia ficou terrivelmente assustado, parecia-lhe que uma bala de canhão ou uma lasca de bomba voaria em sua direção e o atingiria diretamente na cabeça. Essa escuridão úmida, todos esses sons, especialmente o bater raivoso das ondas, pareciam dizer-lhe que não deveria ir mais longe, que nada de bom o esperava além, que ele nunca mais pisaria no chão sobre este lugar, que ele deveria dar meia-volta imediatamente e fugir para um lugar ou outro, o mais longe possível desse terrível refúgio da morte. "Mas talvez seja tarde demais agora, está tudo resolvido", pensou ele, tremendo em parte com esse pensamento e em parte porque a água havia encharcado suas botas e molhado seus pés.

Volódia soltou um suspiro profundo e se afastou um pouco do irmão.

"Senhor, eles vão me matar. A mim, em particular. Senhor, tem piedade de mim!", disse ele, em um sussurro, e se benzeu.

"Venha, Volódia, vamos continuar!", disse o irmão mais velho, quando o carrinho deles passou pela ponte. "Você viu aquela bomba?"

Na ponte, os irmãos encontraram carroças cheias de feridos, e uma delas, carregada de móveis, era conduzida por uma mulher. Do outro lado, ninguém os deteve.

Agarrando-se instintivamente às paredes da bateria de Nikoláevski, os irmãos ouviram em silêncio o barulho das bombas, explodindo no alto, e o rugido dos fragmentos, caindo de cima, e chegaram ao ponto da bateria onde a imagem estava. Lá eles souberam que a quinta bateria leve, para a qual Volódia havia sido designado, estava estacionada no

Korabélnaia, e eles decidiram que ele deveria ir, apesar do perigo, e passar a noite com o ancião no quinto bastião, e que ele deveria se juntar à sua bateria no dia seguinte. Entraram no corredor pisando nas pernas dos soldados adormecidos que jaziam ao longo das paredes da bateria, e por fim chegaram ao local onde os feridos eram atendidos.

X

Ao entrarem no primeiro quarto, cercado de catres onde jaziam os feridos e impregnado daquele cheiro medonho e repugnante de hospital, encontraram duas Irmãs de Misericórdia que vinham ao seu encontro.

Uma mulher de cinquenta anos, olhos negros e uma expressão severa em seu semblante estava carregando bandagens e fiapos, e estava dando ordens estritas a um jovem, um cirurgião assistente, que a seguia. A outra, uma moça muito bonita de vinte e poucos anos, com um rostinho pálido e delicado, olhava amavelmente desamparada por baixo do gorro branco e mantinha as mãos nos bolsos do avental enquanto caminhava ao lado da mulher mais velha, parecendo ter medo de sair do seu lado.

Kozéltsov dirigiu-lhes a palavra, perguntando se elas sabiam onde estava Mártzov, o homem cuja perna fora arrancada no dia anterior.

"Ele pertencia ao regimento P., não era?", perguntou ao mais velho. "Ele é um parente seu?"

"Não, um camarada."

"Mostre-lhes o caminho", disse ela, em francês, para a irmã mais nova. "Aqui, por aqui." E em seguida ela se aproximou de um homem ferido, em companhia do ajudante.

"Venha comigo. O que você está olhando?", perguntou Kozéltsov a Volódia, que, com as sobrancelhas erguidas e uma expressão de semblante um tanto sofrida, não conseguiu se afastar, mas continuou a olhar para os feridos. "Vem, vamos embora."

Volódia saiu com seu irmão, ainda continuando a olhar em volta, no entanto, e repetindo inconscientemente:

"Ah, meu Deus! Ai, meu Deus!"

"Ele provavelmente não está aqui há muito tempo, estou certa?", perguntou a irmã para Kozéltsov, apontando para Volódia, que, gemendo e suspirando, os seguiu pelo corredor.

"Ele acabou de chegar."

A linda irmãzinha olhou para Volódia e de repente começou a chorar. "Meu Deus! Meu Deus! Quando haverá um fim para tudo isso?", ela choramingou em tom de desespero. Entraram na cabana do oficial. Mártzov estava deitado de costas, com os braços musculosos, nus até os cotovelos, jogados sobre a cabeça, e com a expressão no rosto amarelo de um homem que aperta os dentes para não gritar de dor. Toda a sua perna, dentro da meia, estava enfiada para fora da colcha, e podia-se ver como ele contorcia convulsivamente os dedos dos pés dentro dela.

"Bem, como vai, como você se sente?", perguntou a irmã, levantando a cabeça calva com seus dedos finos e delicados, em um dos quais Volódia notou um anel de ouro enquanto ela arrumava seu travesseiro. "Aqui estão alguns de seus camaradas que vieram perguntar sobre você."

"Estou muito mal, é claro", respondeu ele, com raiva. "Deixe-me sozinho! Está tudo bem." Os dedos dos pés em sua meia se moveram mais rápido do que nunca. "Como vai? Qual o seu nome? Com licença", disse ele, virando-se para Kozéltsov. "Ah, sim, me desculpe! Aqui se esquece de tudo", disse ele, quando este mencionou seu nome. "Você e eu morávamos juntos", acrescentou, sem a menor expressão de prazer, olhando interrogativamente para Volódia.

"Este é meu irmão, que acabou de chegar de Petersburgo hoje."

"Hum! Aqui eu terminei meu serviço", ele disse, com uma carranca. "Ah, como é doloroso! O melhor seria um fim rápido."

Ele ergueu a perna e cobriu o rosto com as mãos, continuando a mover os dedos dos pés com redobrada rapidez.

"Você deve deixá-lo", disse a irmã, em um sussurro, enquanto as lágrimas se acumulavam em seus olhos. "Ele está em um estado muito ruim."

Os irmãos já haviam decidido ir para o quinto bastião pelo lado norte, mas, ao saírem da bateria de Nikolaievski, pareciam ter chegado a um entendimento tácito de não se submeterem a perigos desnecessários e, sem discutir o assunto, resolveram seguir seus caminhos separadamente.

"Nikoláev irá conduzi-lo ao Korabélnaia, irmão. Eu seguirei meu caminho sozinho, e estarei com você amanhã."

Nada mais foi dito nesta última despedida entre os irmãos.

XI

O trovão do canhão continuou com a mesma força de antes, mas a rua Iekaterínskaia, por onde Volódia caminhava, seguido pelo taciturno Nikoláev, estava quieta e deserta. Tudo o que ele podia ver através da escuridão espessa era a rua larga com as paredes brancas de casas grandes, danificadas em muitos lugares, e a calçada de pedra sob seus pés. Muito raramente encontrava soldados e oficiais. Ao passar pelo lado esquerdo da rua, junto ao edifício do Almirantado, notou, à luz de uma fogueira acesa atrás do muro, as acácias plantadas ao longo do passeio, com as folhas miseravelmente empoeiradas.

Ele podia ouvir claramente seus próprios passos e os de Nikoláev, que o seguia, respirando pesadamente. Ele não pensou em nada: a linda Irmãzinha da Misericórdia, a perna de Mártzov com os dedos dos pés se contorcendo na meia, as bombas, a escuridão e diversas imagens da morte flutuavam vagamente em sua mente. Toda a sua alma jovem e sensível encolheu-se e foi esmagada pela consciência da solidão e pela indiferença de todos ao seu destino em meio ao perigo.

"Eles vão me matar, serei torturado, sofrerei e ninguém chorará." E tudo isso, ao invés da vida do herói, cheia de energia e simpatia, com a qual ele acalentara sonhos tão gloriosos. As bombas explodiam cada vez mais perto. Nikoláev suspirou com mais frequência, sem quebrar o silêncio. Atravessando a ponte que levava ao Korabélnaia, ele viu algo voar gritando para a baía, não muito longe dele, que iluminou as ondas de cor lilás por um instante com um brilho carmesim, depois desapareceu e lançou no alto uma nuvem de espuma.

"Veja lá, não foi apagado!", disse Nikoláev, com a voz rouca.

"Sim", respondeu Volódia, involuntariamente e inesperadamente para si mesmo, com uma voz fina e aguda.

Encontraram liteiras com feridos, depois mais transportes regimentais com gabiões. Encontraram um regimento na rua Korabélnaia e homens a cavalo passaram por eles. Um deles era um oficial, com seu cossaco. Ele estava cavalgando a trote, mas, ao avistar Volodia, freou seu cavalo perto dele, olhou em seu rosto, virou-se e continuou cavalgando, dando um golpe de chicote no cavalo.

"Sozinho, sozinho. Não significa nada para ninguém se eu existo ou não", pensou o rapaz, e sentiu-se seriamente inclinado a chorar.

Depois de subir a colina, passando por um muro alto e branco, entrou numa rua de casinhas em ruínas, incessantemente iluminadas por bombas. Uma mulher bêbada e desgrenhada que saía de uma portinha na companhia de um marinheiro correu contra ele.

"Se ele fosse apenas um bom homem!", ela resmungou. "Perdão, Meritíssimo, o oficial."

O coração do pobre menino afundava cada vez mais, e cada vez mais frequentemente os relâmpagos brilhavam contra o horizonte escuro, e as bombas gritavam e explodiam ao redor dele com frequência cada vez maior. Nikoláev suspirou e de repente começou a falar, no que parecia a Volódia um tom assustado e constrangido.

"Que pressa tivemos para chegar aqui. Não passava de uma viagem. Um lugar bonito para se estar com pressa para chegar!"

"O que deveria ser feito, se meu irmão estivesse bem de novo", respondeu Volódia, na esperança de banir com a conversa a sensação assustadora que o tomava.

"Bem, que tipo de saúde é essa quando ele está completamente doente! Aqueles que têm saúde de verdade são os inteligentes que estão no hospital agora. Há muita alegria nisso, não é? Você terá uma perna ou um braço arrancado, e isso é tudo que você terá! Não está longe de ser um pecado absoluto! E aqui na cidade não é como no bastião, e isso é um terror perfeito. Você vai e faz suas orações o caminho todo. Eh, sua besta, lá vai você zunindo!", ele acrescentou, direcionando sua atenção para o som de uma lasca de projétil zunindo perto deles. "Agora, aqui..." , Nikoláev continuou, "foi ordenado que mostrasse a Vossa Excelência o caminho. Meu negócio, é claro, é fazer o que me mandam, mas a carroça foi abandonada a algum soldado miserável, e a trouxa está desfeita. Continue e continue, mas se algum dos bens desaparecer, Nikoláev terá que responder por isso."

Depois de dar mais alguns passos, eles chegaram a uma praça. Nikoláev se calou, mas suspirou.

"Lá está sua artilharia, Meritíssimo!", ele disse de repente. "Pergunte à sentinela, ele vai lhe mostrar."

E Volódia, depois de dar mais alguns passos, deixou de ouvir o som dos suspiros de Nikoláev atrás dele.

De repente, ele se sentiu completa e finalmente sozinho. Essa consciência da solidão em perigo, antes da morte, como lhe parecia, pairava sobre seu coração como uma pedra terrivelmente fria e pesada.

Parou no meio da praça, olhou em volta para ver se avistava alguém, agarrou sua cabeça e pronunciou seu pensamento em voz alta em seu terror: "Senhor! Será que eu sou um covarde, um covarde vil, nojento, inútil... será que eu sonhava tão recentemente em morrer de alegria por minha pátria, meu czar? Não, eu sou um miserável, um infeliz, um ser miserável!" E Volódia, com um sentimento genuíno de desespero e desencanto consigo mesmo, perguntou à sentinela pela casa do comandante da bateria e partiu na direção indicada.

XII

A residência do comandante da bateria que a sentinela lhe indicara era uma pequena casa de dois andares com entrada para o pátio. Em uma das janelas, que estava colada com papel, ardia a débil chama de uma vela. Um criado estava sentado na varanda, fumando seu cachimbo. Em seguida, ele entrou e anunciou Volódia ao comandante, e então o conduziu para dentro.

Perto da porta estava um homem bonito, com um grande bigode, um sargento, de sabre e manto, no qual pendia uma cruz e uma medalha húngara. De um lado para o outro, no meio da sala, andava um oficial baixo de quarenta anos, com as bochechas inchadas, amarradas com uma atadura, e vestido com um casaco velho e fino.

"Tenho a honra de me apresentar, Cornet Kozéltsov, encomendado para a quinta bateria leve", disse Volódia, pronunciando a frase que havia aprendido de cor, ao entrar na sala.

O comandante da bateria respondeu secamente à sua saudação e, sem estender a mão, convidou-o a sentar-se.

Volodia deixou-se cair timidamente em uma cadeira ao lado da escrivaninha e começou a torcer nos dedos a tesoura, que sua mão tocou por acaso. O comandante da bateria colocou as mãos atrás das costas e, baixando a cabeça, prosseguiu sua caminhada de um lado para o outro da sala, em silêncio, apenas lançando um olhar ocasional para as mãos que giravam a tesoura, com aspecto de homem que está tentando se lembrar de algo.

Sebastopol

O comandante da bateria era um homem bastante corpulento, com uma grande calva no alto da cabeça, um bigode grosso, que caía para baixo e escondia a boca, e agradáveis olhos castanhos. Suas mãos eram bonitas, limpas e roliças, seus pés pequenos e bem torneados, e eles saíram de uma maneira confiante e um tanto altiva, provando que o comandante não era um homem tímido.

"Sim", disse ele, parando na frente do sargento. "Uma medida deve ser adicionada ao grão amanhã, ou nossos cavalos ficarão magros. O que você acha?"

"Claro que é possível fazê-lo, Excelência! A aveia está muito barata agora", respondeu o sargento, contraindo os dedos, que segurava nas costuras da calça, mas que evidentemente gostava de ajudar na conversa. "Nosso mestre forrageiro, Franchuk, enviou-me ontem um bilhete dos transportes, Excelência, dizendo que certamente seríamos obrigados a comprar aveia, dizem que está barata. Portanto, quais são suas ordens?"

"Para comprar, é claro. Ele tem dinheiro, com certeza." E o comandante retomou sua caminhada pela sala. "E onde estão suas coisas?" Ele de repente perguntou a Volódia, quando parou na frente dele.

O pobre Volódia ficou tão impressionado com o pensamento de que ele era um covarde que viu desprezo por si mesmo em cada olhar, em cada palavra, como se tivessem sido dirigidas a um poltrão lamentável. Parecia-lhe que o comandante da bateria já havia adivinhado seu segredo e estava zombando dele. Ele respondeu, envergonhado, que seus pertences estavam no Gráfskaia e que seu irmão havia prometido enviá-los amanhã.

Mas o tenente-coronel não o ouvia e, voltando-se para o sargento, perguntou:

"Onde vamos colocar o alferes?"

"O alferes, senhor?", perguntou o sargento, deixando Volódia ainda mais confuso pelo olhar fugaz que lançou sobre ele, e que parecia dizer: "Que tipo de alferes é esse?"

"Ele pode ser alojado lá embaixo, com o capitão-mor, Excelência", continuou ele, após uma pequena reflexão. "O capitão está no bastião agora, e sua cama está vazia."

"Isso vai servir para você, temporariamente?", disse o comandante. "Acho que você deve estar cansado, mas vamos alojá-lo melhor amanhã."

Volodia levantou-se e fez uma reverência.

"Você não quer um pouco de chá?", disse o comandante, quando já havia chegado à porta. "O samovar pode ser trazido."

Volódia fez continência e saiu da sala. O criado do tenente-coronel conduziu-o ao andar de baixo, a um quarto vazio e sujo, no qual jaziam vários tipos de lixo, e onde havia um estrado de ferro sem lençóis nem colcha. Um homem de camisa vermelha estava dormindo profundamente na cama, coberto com uma capa grossa.

Volódia o considerou um soldado.

"Piotr Nikolaïtch!", disse o criado, tocando no ombro do dorminhoco. "O alferes deve dormir aqui. Este é o nosso junker", acrescentou, virando-se para o alferes.

"Ah, não o incomode, por favor", disse Volódia, mas o junker, um jovem alto, robusto e com um rosto bonito, mas muito estúpido, levantou-se da cama, vestiu seu manto e, evidentemente não tendo dormido bem, saiu do quarto.

"Não importa, eu vou me deitar no quintal", ele rosnou.

XIII

Deixado sozinho com seus próprios pensamentos, a primeira sensação de Volódia foi o medo do estado incoerente e abandonado de sua própria alma. Ele queria dormir e esquecer tudo ao seu redor, e a si mesmo acima de tudo. Apagou a vela, deitou-se na cama e, tirando o casaco, enrolou a cabeça nele, para aliviar o terror da escuridão que o afligia desde a infância. Mas de repente lhe ocorreu o pensamento de que uma bomba poderia vir e esmagar o telhado e matá-lo. Ele começou a ouvir atentamente. Logo acima, ele ouviu os passos do comandante da bateria.

"De qualquer forma, se vier...", pensou ele, "mata primeiro quem estiver lá em cima, e depois a mim. Em todo caso, não serei o único" Esse pensamento o acalmou um pouco.

"Bem, e se Sebastopol for tomada inesperadamente, à noite, e os franceses chegarem até aqui? Com o que devo me defender?"

Ele se levantou mais uma vez e começou a andar pela sala. Seu terror do perigo real superava seu medo secreto da escuridão. Não havia nada pesado no quarto, exceto o samovar e uma sela. "Eu sou um canalha, um covarde, um covarde miserável!" O pensamento lhe ocorreu de repente, e novamente ele experimentou aquela sensação opressiva de desprezo e desgosto para si mesmo. Novamente ele se jogou na cama e tentou não pensar.

Então as impressões do dia involuntariamente penetraram em sua imaginação por causa dos sons incessantes que faziam o vidro da janela solitária chacoalhar, e novamente o pensamento de perigo voltou a ele: ora ele tinha visões de homens feridos e sangue, ora de bombas e estilhaços voando para dentro do quarto, depois da linda Irmãzinha da Misericórdia, que lhe fazia um curativo, moribundo, e chorava por ele, depois de sua mãe, que o acompanhava até a cidade da província, e rezava em meio a lágrimas ardentes, diante das imagens milagrosas. Mais uma vez o sono lhe parecia uma impossibilidade.

Mas de repente o pensamento de Deus Todo-Poderoso, que pode fazer todas as coisas e que ouve todas as súplicas veio claramente à sua mente. Ele se ajoelhou, fez o sinal da cruz e cruzou as mãos como havia sido ensinado a fazer em sua infância, quando orava. Esse gesto, de repente, trouxe-lhe de volta um sentimento consolador, que ele havia esquecido há muito tempo.

"Se devo morrer, se devo deixar de existir, seja feita a tua vontade, Senhor"', pensou ele. "Que seja rápido, mas se for preciso coragem e firmeza que não possuo, dá-as a mim. Livra-me da vergonha e da desgraça que não posso suportar, e ensina-me o que fazer para cumprir a tua vontade".

Sua alma infantil, assustada e estreita foi subitamente encorajada, clareou e vislumbrou horizontes amplos, brilhantes e novos. Durante o breve período em que durou esse sentimento, ele sentiu e pensou muitas outras coisas, e logo adormeceu tranquilo e despreocupado, ao som contínuo do rugido do bombardeio e do chacoalhar das vidraças.

Grande Senhor! Só tu ouviste, e só tu conheces aquelas orações ardentes e desesperadas de ignorância, de arrependimento perturbado, aquelas petições para a cura do corpo e a iluminação da mente, que ascenderam a ti daquele terrível recinto da morte, do general que, um momento antes, estava pensando em sua cruz do George em seu pescoço, e consciente em seu terror de tua presença próxima, para o simples soldado se contorcendo na terra nua da bateria de Nikoláevski, e lhe implorando para conceder a ele ali a recompensa, inconscientemente pressagiada, por todos os seus sofrimentos.

XIV

O velho Kozéltsov, encontrando na rua um soldado do seu regimento, dirigiu-se imediatamente, em companhia do homem, ao quinto bastião.

"Mantenha-se debaixo do muro, Meritíssimo", disse o soldado.

"Por quê?"

"É perigoso, Meritíssimo, está passando uma", disse o soldado, ouvindo o som de uma bala de canhão gritando, que atingiu a estrada seca, do outro lado da rua.

Kozéltsov, sem dar atenção ao soldado, caminhou bravamente pelo meio da rua.

Eram as mesmas ruas, os mesmos incêndios, ainda mais frequentes agora, os sons, os gemidos, os encontros com os feridos, e as mesmas baterias, parapeitos e trincheiras que estiveram ali na primavera, quando ele esteve em Sebastopol, mas, por alguma razão, tudo isso agora era mais melancólico e, ao mesmo tempo, mais enérgico. As aberturas das casas eram maiores, não havia mais nenhuma luz nas janelas com exceção da casa Kúshtchin (o hospital), não se encontrava uma mulher, o tom anterior do costume e da ausência de cuidados já não recaía sobre tudo, mas, em vez disso, uma certa impressão de pesada expectativa, de cansaço e seriedade.

Mas aqui já está a última trincheira, e aqui está a voz de um soldado do regimento P., que reconheceu o ex-comandante de sua companhia, e aqui está o terceiro batalhão na escuridão, agarrado à parede e iluminado de vez em quando, por um momento, pelas descargas, pelo som de uma conversa abafada e pelo estrépito de armas.

"Onde está o comandante do regimento?", perguntou Kozéltsov.

"Nas provas de bomba com os marinheiros, Meritíssimo", respondeu o soldado, pronto para servir. "Eu vou lhe mostrar o caminho, se você quiser."

De trincheira em trincheira, o soldado levou Kozéltsov até a pequena vala. Na vala estava sentado um marinheiro, fumando seu cachimbo. Atrás dele uma porta era visível, através de cujas frestas brilhava uma luz.

"Posso entrar?"

"Vou anunciá-lo imediatamente." E o marinheiro entrou pela porta.

Duas vozes se tornaram audíveis do outro lado da porta.

"Se a Prússia continuar a observar a neutralidade...", disse uma voz, "então a Áustria também..."

"Que diferença faz a Áustria?", questionou o segundo. "Bem, peça para ele entrar."

Kozéltsov nunca esteve nesta casamata. Ele ficou impressionado com sua elegância. O chão era de madeira polida, telas protegiam a porta. Contra a parede havia dois estrados de cama, em um canto havia um grande ícone da mãe de Deus em moldura dourada, e diante dela queimava uma lâmpada cor de rosa.

Em uma das camas, um oficial da marinha, completamente vestido, dormia. Do outro, junto a uma mesa sobre a qual estavam duas garrafas de vinho parcialmente vazias, estavam sentados os homens que conversavam: o novo comandante do regimento e seu ajudante.

Embora Kozéltsov estivesse longe de ser um covarde e certamente não era culpado por nenhum delito no que dizia respeito a seus oficiais superiores, nem em relação ao comandante do regimento, ainda assim ele se sentia tímido diante do coronel, que havia sido seu companheiro há pouco tempo, então orgulhosamente este coronel se levantou e o ouviu.

"É estranho", pensou Kozéltsov enquanto examinava seu comandante. "Faz apenas sete semanas que ele assumiu o regimento, e quão visível já é seu poder como comandante em tudo sobre ele: em suas roupas, seu porte, seu visual", pensou ele. "Faz tanto tempo desde que esse Batríshtchev costumava farrear conosco, usava uma camisa de algodão barata e comia sozinho, nunca convidando ninguém para seus aposentos, suas eternas almôndegas e rissóis de coalhada, mas agora! E aquela expressão de orgulho frio em seus olhos, que lhe diz: 'Embora eu seja seu camarada, porque sou um comandante de regimento da nova escola, ainda assim, acredite em mim, estou bem ciente de que você daria metade de sua vida apenas para estar no meu lugar!'"

"Você demorou muito tempo para se recuperar", disse o coronel a Kozéltsov, friamente, com um olhar fixo.

"Eu estava doente, coronel! A ferida não fechou bem até agora."

"Então de nada serviu sua vinda", disse o coronel, lançando um olhar incrédulo para a figura corpulenta do capitão. "Você está, no entanto, em condições de cumprir seu dever?"

"Certamente estou, senhor."

"Bem, estou muito feliz por isso, senhor. Você pegará a nona companhia do alferes Zaitzoff e receberá seus pedidos imediatamente."

"Eu obedeço, senhor."

"Tome cuidado para me enviar o ajudante do regimento quando chegar", disse o comandante do regimento, dando-lhe a entender, com um leve aceno de cabeça, que sua audiência estava no fim.

Ao sair da casamata, Kozéltsov murmurou várias vezes alguma coisa e deu de ombros, como se estivesse magoado ou constrangido com alguma coisa, e aborrecido, não com o comandante do regimento (não havia motivo para isso), mas consigo mesmo. Ele parecia estar insatisfeito consigo mesmo e com tudo sobre si.

XV

Antes de ir até seus oficiais, Kozéltsov foi cumprimentar sua companhia e ver onde ela estava estacionada.

O parapeito de gabiões, as formas das trincheiras, os canhões por onde passava, até os fragmentos de tiro, bombas, sobre os quais tropeçava em seu caminho, tudo isso, incessantemente iluminado pela luz do tiro, eram bem conhecidos dele. Tudo isso ficou gravado em cores vivas em sua memória, três meses antes, durante as duas semanas que passou neste mesmo bastião, sem sair uma única vez. Embora houvesse muito de terrível nessas reminiscências, misturava-se a elas um certo encanto de coisas passadas, e ele reconhecia com prazer os lugares e objetos familiares, como se as duas semanas ali passadas tivessem sido agradáveis. A companhia estava estacionada ao longo da muralha defensiva em direção ao sexto bastião.

Kozéltsov entrou na longa casamata, totalmente desprotegida no lado da entrada, na qual lhe haviam dito que a nona companhia estava estacionada. Não havia, literalmente, espaço para colocar o pé na

Sebastopol

casamata, tão cheia estava, desde a entrada, de soldados. De um lado queimava uma vela torta de sebo que um soldado reclinado segurava para iluminar o livro que outro soletrava lentamente. Ao redor da vela, à meia-luz fedorenta, eram visíveis cabeças ansiosamente erguidas em atenção tensa ao leitor. O pequeno livro em questão era uma cartilha. Ao entrar na casamata, Kozéltsov ouviu o seguinte:

"Ore depois de aprender. Eu te agradeço, Criador..."

"Apague essa vela!", disse uma voz.

"É um livro esplêndido."

"Meu... Deus...", continuou o leitor.

Quando Kozéltsov perguntou pelo sargento, o leitor parou, os soldados começaram a se mexer, tossir e assoar o nariz, como sempre fazem depois do silêncio forçado. O sargento levantou-se perto do grupo ao redor do leitor, abotoando o casaco ao fazê-lo, passando por cima e nos pés daqueles que não tinham espaço para retirá-los, e avançou para seu oficial.

"Como você está, irmão?"

"Te desejo saúde! Bem-vindo ao seu retorno, Meritíssimo!", respondeu o sargento, com um olhar alegre e amigável para Kozéltsov. "Vossa Excelência recuperou sua saúde? Bem, Deus seja louvado. Tem sido muito chato para nós sem você."

Ficou imediatamente aparente que Kozéltsov era amado entre os demais.

Nas profundezas da casamata, vozes podiam ser ouvidas. Seu antigo comandante, que havia sido ferido, Mikhaíl, havia chegado, e assim por diante. Alguns até se aproximaram, e o baterista o parabenizou.

"Como você está, Obantchuk?", perguntou Kozéltsov. "Você está bem? Bom dia, crianças!", ele disse, levantando a voz.

"Desejamos saúde!", soou através da casamata.

"Como vão vocês, crianças?"

"Muito mal, Meritíssimo. Os franceses estão levando a melhor sobre nós. Lutar por trás das fortificações é um trabalho ruim e difícil, e isso é tudo! Além disso, eles não saíram para o campo aberto."

"Talvez a sorte esteja comigo e Deus concederá que eles saiam para o campo aberto, crianças!", disse Kozéltsov. "Não será a primeira vez que você e eu damos as mãos: vamos vencê-los novamente."

"Teremos o maior prazer em tentar, Meritíssimo!", exclamaram várias vozes.

"E quanto a eles... são realmente ousados?"

"Terrivelmente ousados!", disse o baterista, não em voz muito alta, mas alta o suficiente para que suas palavras sejam audíveis, virando-se para outro soldado, como se justificasse diante dele as palavras do comandante e o persuadisse de que não havia nada de arrogante ou improvável nessas palavras.

Dos soldados, Kozéltsov seguiu para o quartel defensivo e seus irmãos oficiais.

XVI

Na grande sala do quartel havia muitos homens, entre eles, muitos oficiais da marinha, artilharia e infantaria. Uns dormiam, uns fumavam e outros conversavam sentados nos baús e carretas dos canhões das fortificações. Outros ainda, formando um grupo muito numeroso e barulhento atrás do arco, estavam sentados sobre dois tapetes de feltro, estendidos no chão, e bebiam cerveja e jogavam cartas.

"Ah! Kozéltsov, Kozéltsov! Que bom que ele está de volta! Ele é um sujeito muito corajoso! Como está seu ferimento?", perguntas e comentários como esse puderam ser ouvidos de vários cantos. Aqui também era evidente que eles o amavam e se alegravam com sua vinda.

Depois de apertar a mão de seus amigos, Kozéltsov se juntou ao barulhento grupo de oficiais que jogavam cartas. Havia alguns de seus conhecidos entre eles. Um homem esbelto, bonito, de tez escura, nariz comprido e pontudo e bigode enorme, que começava nas bochechas, estava distribuindo as cartas com os dedos finos, brancos e afilados, em um dos quais havia um pesado selo de ouro anel. Ele estava lidando direto e descuidadamente, sendo evidentemente excitado por alguma coisa, e meramente desejoso de fazer uma demonstração de negligência. À sua direita estava um major grisalho, apoiando-se no cotovelo e jogando por meio rublo com frieza afetada, e se acomodando imediatamente. À sua esquerda estava agachado um oficial com o rosto vermelho e suado, que ria e brincava de maneira constrangida. Quando suas cartas ganharam, ele moveu uma mão sem parar no bolso vazio da calça. Ele estava jogando alto, e evidentemente não mais por dinheiro vivo, o que desagradou o homem bonito e moreno. Um oficial magro e pálido, careca, nariz e boca enormes, andava pela sala, segurando um grande pacote de notas na mão, apostando dinheiro no banco e ganhando.

Kozéltsov tomou um gole de vodka e sentou-se ao lado dos jogadores.

"Dê uma mão, Mikhaíl Semyónitch!", disse-lhe o traficante. "Você trouxe muito dinheiro, suponho."

"Onde devo arranjar dinheiro? Pelo contrário, me livrei do último que tinha na cidade."

"A ideia! Alguém certamente deve ter tosquiado você em Simpferopol."

"Na verdade, tenho muito pouco." Disse Kozéltsov, mas evidentemente desejava que não acreditassem nele, depois desabotoou o casaco e pegou as cartas velhas na mão.

"Eu não me importo se eu tentar, não há como saber o que o Maligno fará! Coisas estranhas acontecem às vezes. Mas preciso tomar uma bebida, para criar coragem."

E em um curto espaço de tempo ele bebeu outro copo de vodka e vários de porter, e perdeu seus últimos três rublos.

Cento e cinquenta rublos foram registrados contra o pequeno oficial suado.

"Não, ele não vai trazê-los." Disse ele, descuidadamente, tirando um novo cartão.

"Tente enviar." Disse o dealer, parando um momento em sua ocupação de distribuir as cartas e olhando para ele.

"Permita-me enviá-lo amanhã." Repetiu o oficial suado, levantando-se e movendo a mão vigorosamente no bolso vazio.

"Hum!" Rosnou o dealer e, jogando as cartas com raiva para a direita e para a esquerda, ele completou o negócio. "Mas isso não serve." Disse ele, depois de distribuir as cartas. "Eu vou parar. Não vai dar certo, Zakhár Ivánitch." Acrescentou. "Estamos jogando a dinheiro e não a crédito".

"O que, você duvida de mim? Isso é estranho, realmente!"

"De quem se pode obter alguma coisa?", murmurou o major, que ganhara cerca de oito rublos. "Perdi mais de vinte rublos, mas quando venci, não recebo nada."

"Como vou pagar", disse o dealer, "quando não há dinheiro na mesa?"

"Eu não vou ouvir você!", gritou o major, dando um pulo. "Estou brincando com você, mas não com ele".

De repente, o oficial suado ficou furioso.

"Eu lhe digo que pagarei amanhã, como você ousa dizer coisas tão impertinentes para mim?

"Eu direi o que eu quiser! Esta não é a maneira adequada de se jogar, e isso que lhe digo é a verdade!", gritou o major.

"Isso vai servir, Fiódor Fiódoritch!" Todos entraram na conversa, segurando o major.

Mas vamos colocar um véu sobre esta cena. Pode ser que amanhã cada um desses homens vá com alegria e orgulho ao encontro de sua morte e morrerão com firmeza e compostura, mas o único consolo da vida nessas condições que aterrorizam até a mais fria imaginação na ausência de tudo o que é humano, e na desesperança de qualquer fuga deles, o único consolo é o esquecimento, a aniquilação da consciência. No fundo da alma de cada um está aquela centelha nobre que faz dele um herói, mas esta faísca se cansa de queimar claramente. Quando chega o momento fatídico, ela se transforma em chama e ilumina grandes feitos.

XVII

No dia seguinte, o bombardeio prosseguiu com o mesmo vigor. Às onze horas da manhã, Volódia Kozéltsov estava sentado em um círculo de oficiais de bateria e, já tendo conseguido até certo ponto habituar-se a eles, observava os novos rostos, fazia observações, indagava e contava histórias.

A conversa discreta dos oficiais de artilharia, que faziam algumas pretensões de aprender, agradava-o e inspirava-lhe respeito. A aparência tímida, inocente e bonita de Volódia dispôs os oficiais a seu favor.

O oficial mais velho da bateria, o capitão, um homem baixo de tez cor de areia com o cabelo arrumado em um coque e liso nas têmporas, educado nas velhas tradições da artilharia, um escudeiro de damas e um aspirante a homem instruído, questionou Volodia sobre seus conhecimentos de artilharia e novas invenções, zombou de sua juventude e de

Sebastopol

seu lindo rostinho, e o tratou, em geral, como um pai trata um filho, o que foi extremamente agradável para Volodia.

O subtenente Diadenko, um jovem oficial que falava com um sotaque pouco russo, embora falasse muito alto, tinha um manto esfarrapado e cabelos desgrenhados, constantemente aproveitava as oportunidades para disputar amargamente sobre algum assunto e era muito abrupto em seus movimentos. Ele agradou Volódia imediatamente, mostrando que, sob esse exterior rude, existia nele um homem muito bom e extremamente sincero. Diadenko oferecia incessantemente seus serviços a Volódia e lhe dizia que nenhuma das armas em Sebastopol estava posicionada corretamente, de acordo com a regra.

O tenente Tchernovítzki tinha as sobrancelhas erguidas, e embora fosse mais cortês do que todos os outros, vestisse um casaco razoavelmente limpo, mas não novo, e cuidadosamente remendado e exibisse uma corrente de relógio de ouro em um colete de cetim, não agradou Volódia. Ele continuou perguntando o que o imperador e o ministro da guerra estavam fazendo, e relatou a ele, com um triunfo sobrenatural, os atos de bravura que haviam sido realizados em Sebastopol. Queixou-se do pequeno número de verdadeiros patriotas e demonstrou grande conhecimento e sentimento nobre em geral, mas, por alguma razão, tudo isso parecia desagradável e antinatural para Volódia. A principal coisa que notou foi que os outros oficiais mal falavam com Tchernovítzki.

Yunker Vlang, que ele havia acordado na noite anterior, também estava lá. Ele não disse nada, mas, sentado modestamente em um canto, ria quando algo engraçado acontecia, refrescava suas memórias quando esqueciam alguma coisa, entregava a vodca e fazia cigarros para todos os oficiais. Fosse os modos modestos e corteses de Volódia, que o tratava exatamente como tratava os oficiais e não o atormentava como se fosse um menino, ou sua aparência pessoal agradável que cativava Vlanga, como os soldados o chamavam, recusando seu nome, por uma razão ou outra, no gênero feminino, em todo caso, ele nunca tirou os olhos grandes e gentis do rosto do novo oficial. Ele adivinhou e antecipou todos os seus desejos, e permaneceu ininterruptamente em uma espécie de êxtase de amante, que, é claro, os oficiais perceberam e zombaram.

Antes do jantar, o capitão do Estado-Maior foi dispensado da bateria e se juntou à companhia deles. O capitão do Estado-Maior Kraut era um oficial de tez clara, bonito e arrojado com um bigode ruivo, ele falava russo com letras maiúsculas, mas era elegante e correto demais para um russo. No serviço e na sua vida, ele tinha sido o mesmo que na sua língua: ele serviu muito bem, foi um camarada de capital e o mais fiel dos homens em assuntos de dinheiro, mas simplesmente como homem lhe faltava algo, precisamente porque tudo nele era tão excelente. Como todos os russos-alemães, por uma estranha contradição com o alemão ideal, ele era "praktisch", no mais alto grau.

"Aqui está ele, nosso herói faz sua aparição!", disse o capitão, quando Kraut, balançando os braços e balançando as esporas, entrou na sala. "O que você quer, Friedrich Krestiánitch, chá ou vodka?"

"Já mandei servir meu chá.", respondeu ele. "Mas, posso tomar também uma gotinha de vodca, para refrescar a alma. Muito feliz em conhecê-lo. Eu imploro que você nos ame e nos empreste seu favor.", disse ele a Volódia, que se levantou e se curvou para ele. "Capitão Kraut. O sargento no bastião me informou que você chegou ontem à noite."

"Muito obrigado por sua cama, passei a noite nela."

"Espero que você tenha achado confortável. Uma das pernas está quebrada, mas ninguém pode fazer cerimônia. Em tempo de cerco, você deve sustentá-la."

"Bem, agora, você teve um momento de sorte no seu relógio?", perguntou Diadenko.

"Sim, tudo bem, apenas Skvortzov foi atingido, e nós consertamos uma das carruagens de armas ontem à noite. A bochecha foi esmagada em átomos."

Ele se levantou de seu assento e começou a andar para cima e para baixo. Estava claro que ele estava totalmente sob a influência daquela sensação agradável que experimenta um homem que acaba de escapar de um perigo.

"Bem, Dmitri Gavrilitch", disse ele, dando um tapinha no joelho do capitão. "Como você está, meu caro amigo? Que tal sua promoção? Nenhuma palavra ainda?

"Nada ainda."

"Não, e não haverá nada." Interpôs Diadenko. "Eu provei isso para você antes."

"Por que não vai?"

"Porque a história não foi devidamente escrita."

"Oh, seu sujeito briguento, seu sujeito briguento!", exclamou Kraut, sorrindo alegremente. "Um pequeno russo obstinado regular! Agora, só para provocá-lo, ele vai transformar seu tenente."

"Não, ele não vai."

"Vlang! Traga-me meu cachimbo e encha-o", disse ele, virando-se para o vendedor, que imediatamente se apressou com o cachimbo.

Ele deixou todos animados. Contou sobre o bombardeio, perguntou o que estava acontecendo em sua ausência e conversou com todos.

XVIII

"Bem, como estão as coisas? Você já se estabeleceu entre nós?", Kraut perguntou a Volódia. "Com licença, qual é o seu nome e patroní- mico? Esse é o costume conosco na artilharia, você sabe. Você conse- guiu um cavalo de sela?"

"Não", disse Volodia. "Eu não sei o que fazer. Disse ao capitão que não tinha cavalo, nem dinheiro, até conseguir algum para forragem e despesas de viagem. Enquanto isso, quero pedir um cavalo ao coman- dante da bateria, mas temo que ele me recuse."

"Apollon Sergiéitch, você quer dizer?", ele produziu com os lábios um som indicativo da mais forte dúvida, e olhou para o capitão. "Não é provável."

"O que é isso? Se ele recusar, não haverá mal nenhum", disse o capitão. "Há cavalos, para dizer a verdade, que não são necessários, mas ainda assim se pode tentar. Vou perguntar hoje."

"O quê! Você não o conhece?", Diadenko interpolou. "Ele pode recusar qualquer coisa, mas não há razão para recusar isso. Quer apostar?"

"Bem, é claro, todo mundo já sabe que você sempre contradiz."

"Eu contradigo porque eu sei. Ele é mesquinho com outras coisas, mas dará o cavalo porque não é vantagem para ele recusar."

"Nenhuma vantagem, de fato, quando lhe custa oito rublos aqui para aveia!", disse Kraut. "Não há vantagem em não manter um ca- valo extra?"

"Pergunte você mesmo a Skvoretz, Vladímir Semyónitch!", disse Vlang, voltando com o cachimbo de Kraut. "É um cavalo de capital."

"Aquele com quem você caiu na vala, no festival dos quarenta mártires, em março? Ei! Vlang?", comentou o capitão do Estado-Maior.

"Não, e por que você deveria dizer que a aveia custa oito rublos", prosseguiu Diadenko, "quando suas próprias investigações lhe mostram que são dez e meio?"

"Assim como se ele não tivesse mais nada! Então, quando você se tornar o comandante da bateria, não deixará nenhum cavalo entrar na cidade?"

"Quando eu for comandante da bateria, meu caro amigo, meus cavalos terão quatro medidas de aveia para comer, e eu não vou acumular uma renda, não tenha medo!"

"Se vivermos, veremos", disse o capitão do Estado-Maior. "E você agirá exatamente assim, e ele também quando comandar uma bateria", acrescentou, apontando para Volódia.

"Por que você acha, Friedrich Krestiánitch, que ele usaria isso para seu lucro? Talvez ele tenha propriedade própria, então por que ele deveria transformá-lo em lucro?"

"Não, senhor, eu... desculpe-me, capitão", disse Volódia, enrubescendo até os ouvidos. "Isso me parece um insulto."

"Oh! Que louco ele é!", disse Kraut.

"Isso não tem nada a ver, eu só acho que se o dinheiro não fosse meu, eu não deveria pegá-lo."

"Agora, vou lhe dizer uma coisa aqui mesmo, meu jovem", começou o capitão do Estado-Maior em tom mais sério. "Você deve entender que quando comanda uma bateria, se você administra bem as coisas, isso é suficiente. O comandante de uma bateria não se intromete no abastecimento dos soldados, assim tem sido desde tempos imemoriais na artilharia. Se você for um mau gerente, não terá mais nada. Agora, estas são as despesas de acordo com sua posição: para ferrar seu cavalo, um (fechou um dedo); para o boticário, dois (fechou outro dedo); para trabalho de escritório, três (ele fechou um terceiro); por cavalos extras, que custam quinhentos rublos, meu caro, são quatro. Você deve trocar os colares dos soldados, usará muito carvão, deve manter a mesa aberta para seus oficiais. Se você é um comandante de bateria, deve viver decentemente. Você precisa de uma carruagem, um casaco de pele, e esta e aquela coisa, e mais uma dúzia... mas qual é a utilidade de enumerar todos eles!"

"Mas isso é o principal, Vladímir Semyónitch.", interpôs o capitão, que se calara todo esse tempo. "Imagine-se um homem que, como eu, por exemplo, serviu vinte anos, primeiro por duzentos, depois por trezentos rublos. Por que ele não deveria receber pelo menos um pouco de pão, contra sua velhice?"

"Eh! Sim, aí está!", falou novamente o capitão do Estado-Maior. "Não tenha pressa em pronunciar julgamento, mas viva e cumpra seu tempo".

Volodia ficou terrivelmente envergonhado e arrependido por ter falado tão impensadamente, murmurou alguma coisa e continuou a ouvir em silêncio, quando Diadenko se encarregou, com o maior zelo, de contestá-lo e provar o contrário.

A disputa foi interrompida pela chegada do criado do coronel, que os chamou para jantar.

"Diga a Apollon Sergiéitch que ele deve nos dar um pouco de vinho hoje", disse Tchernovítzki ao capitão, enquanto abotoava seu uniforme. "Por que ele é tão mesquinho com isso? Ele será morto, e ninguém tirará proveito disso."

"Diga a ele você mesmo."

"Não existe a menor possibilidade de isso acontecer. Você é meu oficial superior. A posição deve ser considerada em todas as coisas."

XIX

A mesa fora afastada da parede e estendida com uma toalha suja, na mesma sala em que Volodia se apresentara ao coronel na noite anterior. O comandante da bateria agora lhe ofereceu a mão e o questionou sobre Petersburgo e sua viagem.

"Bem, senhores, peço o favor de um copo com qualquer um de vocês que bebe vodka. Os alferes não bebem", acrescentou, com um sorriso.

De modo geral, o comandante da bateria não parecia tão severo hoje como na noite anterior, pelo contrário, ele tinha a aparência de um anfitrião gentil e hospitaleiro, e um camarada mais velho entre os oficiais. Mas, apesar disso, todos os oficiais, do velho capitão ao alferes

Diadenko, por sua própria maneira de falar e olhar o comandante diretamente nos olhos, ao se aproximarem um após o outro para beber sua vodka, exibiram grande respeito por ele.

O jantar consistiu em uma grande tigela de madeira de sopa de repolho na qual flutuavam pedaços gordos de carne bovina, e uma enorme quantidade de pimenta, folhas de louro, mostarda e almôndegas polonesas em uma folha de repolho, tiras de carne picada e massa, e com manteiga, que não estava perfeitamente fresca. Não havia guardanapos, as colheres eram de estanho e madeira, havia apenas dois copos e sobre a mesa havia um jarro de água com o gargalo quebrado, mas o jantar não foi maçante, pois a conversa nunca parava.

A princípio, a conversa se voltou para a batalha de Inkerman, da qual a bateria havia participado, quanto às causas do fracasso, das quais cada um deu suas próprias impressões e ideias, e calou a boca assim que o próprio comandante da bateria começou a falar. A partir daí a conversa mudou naturalmente para a insuficiência de calibre dos canhões leves e sobre os novos canhões aligeirados, em que Volódia teve a oportunidade de mostrar seus conhecimentos de artilharia.

Mas a conversa deles não se deteve na terrível situação atual de Sebastopol, como se cada um deles tivesse meditado demais sobre o assunto para aludir a ele novamente. Da mesma forma, para grande espanto e decepção de Volodia, nenhuma palavra foi dita sobre os deveres do serviço que ele deveria cumprir, como se ele tivesse vindo a Sebastopol apenas com o propósito de falar sobre o novo canhão e jantar com o comandante da bateria.

Enquanto jantavam, uma bomba caiu não muito longe da casa em que estavam sentados. As paredes e o chão tremeram, como num terremoto, e a janela foi obscurecida pela fumaça do pó.

"Você não viu nada desse tipo em Petersburgo, imagino, mas essas surpresas costumam acontecer aqui", disse o comandante da bateria.

"Cuidado, Vlang, e veja onde estourou."

Vlang olhou e relatou que havia estourado na praça, e então não se falou mais nada sobre a bomba.

Pouco antes do fim do jantar, um velho, escriturário da bateria, entrou na sala com três envelopes lacrados e os entregou ao comandante.

Sebastopol

"Isto é muito importante. Um mensageiro trouxe-os neste momento do chefe da artilharia."

Todos os oficiais olharam com impaciente curiosidade para os dedos experientes do comandante enquanto eles quebravam o lacre do envelope e tiravam o papel muito importante. "O que pode ser?", cada um se perguntou.

Poderia ser que eles marchassem para fora de Sebastopol para descansar, assim como poderia ser uma ordem para que toda a bateria se dirigisse aos bastiões.

"Novamente!", exclamou o comandante, atirando raivosamente o papel sobre a mesa.

"O que é isso, Apollon Sergiéitch?", perguntou o oficial mais velho.

"Um oficial e uma tripulação são necessários para uma bateria de morteiros e eu tenho apenas quatro oficiais, e não há uma equipe de artilharia completa na linha", rosnou o comandante. "Além disso, outros assuntos aqui ainda precisam de mim. Mas alguém deve ir, senhores", disse ele, após uma breve pausa. "A ordem exige que ele esteja na barreira às sete horas. Quem deve ir, senhores?".

"Bem, aqui está um que nunca foi", disse Tchernovítzki, apontando para Volódia. O comandante da bateria não respondeu.

"Sim, eu gostaria de ir", disse Volódia, enquanto sentia o suor frio começar em suas costas e pescoço.

"Não. Por que você deveria?", interrompeu o capitão. "Claro, ninguém recusará, e não é apropriado se oferecer. Mas, se Apollon Sergiéitch nos permitir, vamos sortear, como já fizemos antes."

Todos concordaram com isso. Kraut cortou alguns pedaços de papel, dobrou-os e colocou-os em uma tampa. O capitão brincou, e até teve a audácia, nesta ocasião, de pedir vinho ao coronel, para manter a coragem, disse. Diadenko sentou-se em um silêncio sombrio, Volódia sorriu para uma coisa ou outra, Tchernovítzki declarou que infalivelmente cairia para ele, Kraut estava perfeitamente composto.

Volódia foi autorizado a sacar primeiro. Ele pegou uma tira de papel que era bastante longa, mas imediatamente lhe ocorreu trocá-la e ele pegou outra, que era menor e mais fina, desdobrou-a e leu: "Eu vou, caiu para mim", disse ele, com um suspiro.

"Bem, Deus esteja com você. Você receberá seu batismo de fogo imediatamente", disse o comandante da bateria, olhando para o semblante perturbado do alferes com um sorriso gentil. "Você deve chegar lá o mais rápido possível, e, para tornar a ocasião um pouco mais alegre para você, Vlang irá com você como sargento."

XX

Vlang estava muito satisfeito com o dever que lhe fora designado e correu apressadamente para fazer seus preparativos e, quando se vestiu, foi ajudar Volodia e tentou persuadi-lo a levar um colchonete, seu casaco de pele, uma cafeteira, uma lamparina e outras coisas inúteis. O capitão aconselhou Volódia a ler seu manual primeiro, sobre tiros de morteiro, e imediatamente copiar as tabelas dele.

Volodia começou a fazer isso imediatamente e, para seu espanto e deleite, percebeu que, embora ainda estivesse um pouco perturbado com uma sensação de medo do perigo, e ainda mais com medo de se tornar um covarde, ainda estava longe de ser na medida em que isso o afetara na noite anterior. A razão para isso estava em parte na luz do dia e na ocupação ativa, e em parte também no fato de que o medo e todas as emoções poderosas não podem continuar com a mesma intensidade por muito tempo. Basicamente, ele já havia conseguido se recuperar de seu terror.

Às sete horas, quando o sol começava a se esconder atrás do quartel de Nikolaievski, o sargento veio até ele e anunciou que os homens estavam prontos e esperando por ele.

"Eu dei a lista para Vlanga. Você terá o prazer de pedir isso a ele, Meritíssimo!", disse ele.

Vinte artilheiros, com armas laterais, mas sem ferramentas de carregamento, estavam de pé no canto da casa. Volódia e o junker se aproximaram deles.

"Devo fazer-lhes um pequeno discurso, ou devo simplesmente dizer: 'Bom dia, crianças!'? Ou não direi nada?", pensou ele. "E por que eu não deveria dizer: 'Bom dia, crianças!' Ora, eu deveria dizer isso!" E ele gritou ousadamente, com sua voz retumbante:

"Bom dia, crianças!"

Sebastopol

Os soldados responderam alegremente. A voz fresca e jovem soava agradável aos ouvidos de todos. Volódia marchou vigorosamente à frente deles e, embora seu coração batesse como se tivesse corrido uma longa distância no auge de sua velocidade, seu passo era leve e seu semblante alegre.

Ao chegar ao monte Malakhov e subir a encosta, ele percebeu que Vlang, que não tinha ficado um passo atrás dele, e que parecia um sujeito tão valente em casa, constantemente desviava para um lado e abaixava sua cabeça, como se todas as balas de canhão e bombas que zuniram com muita frequência naquela localidade estivessem voando diretamente na direção dele. Alguns dos soldados fizeram o mesmo, e os rostos da maioria deles traíam, se não medo, pelo menos ansiedade. Essa circunstância deu o toque final à compostura de Volódia e finalmente o encorajou.

"Então aqui estou eu também no monte Malakhov, que imaginei ser mil vezes mais terrível! E posso caminhar sem abaixar a cabeça diante das bombas, e estou muito menos apavorado do que o resto! Então eu não sou um covarde, afinal?", pensou com deleite e com uma autossuficiência um tanto entusiasmada.

Mas esse sentimento logo foi abalado por um espetáculo no qual ele tropeçou no crepúsculo, na bateria Kornílovski, em sua busca pelo comandante do bastião. Quatro marinheiros parados perto dos parapeitos seguravam o corpo ensanguentado de um homem, sem sapatos nem casaco, pelos braços e pernas, e cambaleavam enquanto tentavam arremessá-lo sobre as muralhas.

(No segundo dia do bombardeio, em algumas localidades, foi constatado que era impossível retirar os cadáveres dos baluartes, e assim foram lançados na trincheira, para não impedir a ação das baterias.)

Volodia ficou petrificado por um momento, ao ver o cadáver oscilar no cume dos parapeitos e depois rolar para dentro da vala, mas, felizmente para ele, o comandante do bastião o encontrou lá, comunicou suas ordens e lhe forneceu um guia para a bateria e os aposentos à prova de bombas designados para seu serviço. Não vamos enumerar os perigos e desencantos restantes que nosso herói sofreu naquela noite. Como, em vez do tiro, como ele havia visto no campo de Volkoff, de acordo com as regras de exatidão e precisão que ele esperava encontrar aqui, ele encontrou dois morteiros rachados, um dos quais havia sido esmagado por uma bala de canhão no cano enquanto o outro estava sobre os estilhaços de uma plataforma em ruínas. Ele não conseguiu nenhum operário até a manhã seguinte para consertar a plataforma, além disso, nem uma única carga era do peso prescrito no manual. Dois soldados de seu comando foram feridos, e ele esteve vinte vezes a um fio de cabelo da morte.

Felizmente, havia sido designado para seu assistente um capitão--canhão de tamanho gigantesco, um marinheiro, que havia servido nos morteiros desde o início do cerco e que o convenceu da praticidade de usá-los, conduziu-o por todo o bastião com uma lanterna, durante a noite, exatamente como se fosse a sua própria horta, e que prometia pôr tudo em ordem no dia seguinte.

O à prova de bombas para o qual seu guia o conduziu foi escavado no solo rochoso e consistia em um longo buraco de duas braças cúbicas de extensão, coberto com tábuas de carvalho. Aqui ele assumiu seu posto com todos os seus soldados. Vlang foi o primeiro, quando avistou a portinha, de vinte e oito polegadas de altura, à prova de bomba, a se precipitar nela, na frente de todos eles, e, depois de quase quebrar o crânio no chão de pedra, ele se encolheu em um canto, do qual não emergiu novamente.

Volodia, logo depois que todos os soldados se colocaram ao longo da parede no chão e alguns acenderam seus cachimbos, arrumou sua cama em um canto, acendeu uma vela e deitou-se em seu catre, fumando um cigarro.

Ouviam-se tiros incessantes por cima do aposento à prova de bombas, mas não eram muito altos, com exceção dos de um canhão que estava por perto e sacudia o à prova de bombas com seu trovão. Tudo estava parado, os soldados, ainda um pouco tímidos com o novo oficial, trocavam apenas algumas palavras de vez em quando, enquanto pediam licença para sair do caminho ou acender uma luz para um cachimbo. Um rato arranhou em algum lugar entre as pedras e Vlang, que ainda não havia se recuperado e que ainda olhava descontroladamente em volta, soltou um suspiro vigoroso e súbito.

Volodia, deitado em sua cama, em seu canto sossegado, cercado pelos homens e iluminado apenas por uma única vela, experimentou aquela sensação de bem-estar que conhecera quando criança, quando, no decorrer de um jogo de esconde-esconde, ele costumava rastejar para dentro de um armário ou sob as saias de sua mãe e ouvir, sem ousar respirar, e com medo do escuro, mas consciente de se divertir. Ele se sentiu um pouco oprimido, mas alegre.

XXI

Após o lapso de cerca de dez minutos, os soldados começaram a trocar de lugar e a conversar entre si. Os personagens mais importantes entre eles – os dois sargentos – colocaram-se perto da luz e da cama do oficial. Um era velho e grisalho, com todas as medalhas e cruzes possíveis, e o outro era jovem, um miliciano, um homem que fumava cigarros e nesse momento os estava enrolando. O baterista, como sempre, assumiu o dever de atender o oficial. Os bombardeiros e cavaleiros sentaram-se a seguir e, mais longe, à sombra da entrada, os subalternos assumiram o seu posto. Eles também começaram a conversar entre si. A perturbação que veio em seguida foi causada pela entrada apressada de um homem na casamata.

"Como agora, irmão! Você não poderia ficar na rua? As meninas não cantavam alegremente?", disse uma voz.

"Eles cantam canções tão maravilhosas que nunca foram ouvidas na aldeia", disse o homem que fugiu para a casamata, rindo.

"Mas Vássin não ama bombas – ah, não, ele não as ama!", disse um do canto aristocrático.

"A ideia! É outra coisa quando é necessário", disse a voz de Vássin, que fez todos os outros se calarem quando ele falou: "Desde o dia 24 o tiroteio está acontecendo desesperadamente, e o que há de errado nisso? Você será morto por nada, e seus superiores não vão dizer 'obrigado!' por isso."

Com essas palavras de Vássin, todos caíram na gargalhada.

"Lá está Mélnikov, aquele sujeito que vai sentar do lado de fora da porta", disse alguém.

"Bem, traga-o aqui, esse tal de Mélnikov", acrescentou o velho artilheiro. "Eles vão matá-lo, de fato, e isso sem propósito."

"Quem é esse Mélnikov?", perguntou Volodia.

"Ora, Meritíssimo, ele é um soldado estúpido nosso. Ele não parece ter medo de nada, e agora ele continua andando lá fora. Por favor, dê uma olhada nele, ele parece um urso."

"Ele conhece um feitiço", disse a voz lenta de Vássin, do canto.

Mélnikov entrou no aposento à prova de bombas. Ele era gordo (o que é extremamente raro entre os soldados) e um homem bonito, de tez cor de areia, com uma testa enorme e protuberantes e claros olhos azuis proeminentes.

"Você tem medo das bombas?", Volodia perguntou a ele.

"O que há sobre as bombas para temer?", respondeu Mélnikov, encolhendo os ombros e coçando a cabeça: "Sei que não serei morto por uma bomba".

"Então você gostaria de continuar morando aqui?"

"Sim, é claro, eu gostaria. Está alegre aqui!", ele disse, com uma súbita explosão de riso.

"Oh, então você deve ser destacado para a surtida! Direi isso ao general, se você quiser", disse Volódia, embora não conhecesse um único general lá.

"Por que eu não deveria gostar? Eu faço!"

E Mélnikov desapareceu atrás dos outros.

"Vamos jogar, crianças! Quem tem cartas?", soou sua voz viva.

E, de fato, não demorou muito para que um jogo começasse no canto de trás, e se ouvissem golpes no nariz, risos e trunfos.

Volódia bebeu um chá do samovar que o baterista serviu para ele, tratou os artilheiros, brincou e conversou com eles desejando ganhar popularidade, e sentiu-se muito satisfeito com o respeito que lhe era demonstrado. Os soldados também, percebendo que o cavalheiro não tinha ares, começaram a conversar.

Um declarou que o cerco de Sebastopol logo terminaria, porque um homem de confiança da frota havia dito que o irmão do imperador Constantino estava vindo em nosso socorro com a frota americana, e logo haveria um acordo de que não deveria haver nenhum disparo por duas semanas, que um descanso deveria ser permitido, e que, caso alguém disparasse um tiro, cada disparo teria que ser pago.

Vássin que, como Volódia já havia notado, era um sujeito pequeno, com olhos grandes e gentis e bigodes, relatou, em meio a um silêncio geral, a princípio, e depois em meio a risos gerais, como quando ele foi para casa de licença eles ficaram felizes em vê-lo, mas depois seu pai começou a mandá-lo para o trabalho, e o tenente do corpo de guardas florestais enviou sua carruagem para sua esposa.

Tudo isso divertiu muito Volódia. Ele não só não sentiu o menor medo ou inconveniência da proximidade e do ar pesado na prova de bomba, mas também se sentiu em um estado de espírito notavelmente alegre e agradável.

Muitos dos soldados já estavam roncando. Vlang também se esticou no chão, e o velho sargento, estendendo o manto, benzia-se e murmurava suas orações, preparando-se para dormir, quando Volodia teve a vontade de sair da proteção à prova de bombas e ver o que estava acontecendo lá fora.

"Tire suas pernas do caminho!", gritou um soldado para outro, assim que se levantou, e as pernas foram empurradas para o lado para abrir caminho para ele.

Vlang, que parecia adormecido, ergueu subitamente a cabeça e agarrou Volódia pela saia do casaco.

"Venha, não vá! Como você pode?", ele começou, em um tom choroso de súplica. "Você ainda não sabe das coisas, eles estão atirando em nós lá fora o tempo todo! Aqui dentro é melhor".

Mas, a despeito das súplicas de Vlang, Volódia saiu da proteção à prova de bombas e sentou-se na soleira, onde Mélnikov já estava sentado.

O ar estava puro e fresco, principalmente depois da prova de bomba. A noite estava clara e calma. Através do rugido das descargas ouvia-se o som das rodas das carroças trazendo gabiões e as vozes dos homens que trabalhavam no paiol. Acima de suas cabeças estava o alto céu estrelado, através do qual brilhavam os raios de fogo causados pelas bombas. Não muito longe, à esquerda, uma pequena abertura conduzia a outra à prova de bombas, através da qual se viam os pés e as costas dos soldados que ali viviam e através da qual se ouvia suas vozes. À frente avistava-se a elevação produzida pela abóbada de pólvora, e através dela esvoaçavam as figuras curvadas dos homens, e sobre ela, bem no cume, entre as balas e as bombas que assobiavam incessantemente pelo local, erguia-se um alto homem num paletó preto, com as mãos nos bolsos e os pés pisando a terra que outros homens iam buscar em sacos. Muitas vezes uma bomba sobrevoava e explodia perto da caverna. Os soldados empenhados em trazer a terra curvavam-se e corriam para o lado, mas a figura negra não se moveu, apenas continuou pisoteando a terra com os pés silenciosamente, e permaneceu no local com a mesma atitude de antes.

"Quem é aquele negro?", perguntou Volódia.

"Não sei, mas vou até lá verificar."

"Não vá! Não é necessário."

Mas Mélnikov, sem lhe dar atenção, aproximou-se da figura negra e ficou ao lado do sujeito por um tempo razoavelmente longo, tão calmo e imóvel quanto o próprio homem.

"Esse é o homem que está encarregado da revista, Meritíssimo!", disse ele, em seu retorno. "Foi perfurado por uma bomba, então os soldados de infantaria estão buscando mais terra."

De vez em quando, uma bomba parecia voar direto na porta da prova de bombas. Nessas ocasiões, Volódia se encolheu no canto e depois espiou novamente, olhando para cima, para ver se outro não vinha de alguma direção. Embora Vlang, do interior do à prova de bombas, implorasse repetidamente a Volódia que voltasse, este ficou sentado na soleira por três horas e experimentou uma espécie de satisfação ao tentar o destino e observar o voo das bombas. No final da noite, ele soube de que ponto a maior parte dos tiros tenha vindo e onde os tiros atingiram.

XXII

No dia seguinte, 27, depois de dez horas de sono, Volódia, revigorado e ativo, saiu no limiar da janela. Vlang também começou a rastejar para fora com ele, mas, ao primeiro som de uma bala, ele se jogou para trás pela abertura à prova de bomba, batendo a cabeça ao fazê-lo, em meio à alegria geral dos soldados, a maioria dos quais também saíram ao ar livre. Vlang, o velho sargento, e alguns outros eram os únicos que raramente saíam para as trincheiras. Era impossível conter o resto, todos se espalharam no ar fresco da manhã, escapando do ar fétido do à prova de bombas e, apesar de o bombardeio ter sido tão vigoroso quanto na noite anterior, eles se dispuseram ao redor da porta, e alguns até nos peitorais. Mélnikov estava passeando entre as baterias desde o raiar do dia, olhando para cima com perfeita frieza.

Perto da entrada estavam sentados dois velhos soldados e um jovem de cabelos encaracolados, um judeu, que fora destacado da infantaria. Este soldado apanhou uma das balas que estavam espalhadas e, tendo-a alisado contra uma pedra com um caco de barro, com sua faca esculpiu nela uma cruz ao estilo da ordem de São Jorge, e os outros observavam seu trabalho enquanto conversavam. A cruz realmente ficou muito bonita.

"Agora, se ficarmos aqui por muito mais tempo, então, quando a paz for feita, o tempo de serviço terminará para todos nós", disse um deles.

"Nada do tipo. Tenho pelo menos quatro anos de serviço ainda antes que meu tempo acabe e estou em Sebastopol há cinco meses."

"Não conta para a alta, entendeu?", disse outro.

Naquele momento, uma bala de canhão gritou sobre as cabeças dos alto-falantes e atingiu uma pequena distância de Mélnikov, que se aproximava deles pelas trincheiras.

"Isso quase matou Mélnikov!", exclamou um homem.

"Não serei morto", disse Mélnikov.

"Aqui está a cruz para você, por sua bravura", disse o jovem soldado, que havia feito a cruz na bala, entregando-a a Mélnikov.

"Não, irmão, um mês aqui conta como um ano, essa foi a ordem", continuou a conversa.

"Pense o que quiser, mas quando a paz for declarada, haverá uma revisão imperial em Orchava, e se não conseguirmos nossa dispensa, teremos permissão para sair em licença indefinida."

Nesse momento, uma pequena bala estridente passou voando pelas cabeças dos oradores e atingiu uma pedra.

"Você terá uma alta completa antes do anoitecer se continuar azarado desse jeito", disse um dos soldados.

Todos riram.

Não apenas antes do anoitecer, mas antes de expirarem duas horas, dois deles receberam sua descarga completa e cinco ficaram feridos, mas o resto brincava como antes.

Pela manhã, os dois morteiros haviam sido colocados em tal condição que era possível disparar. Às dez horas, de acordo com as ordens que recebera do comandante do bastião, Volódia chamou seu comando e marchou para a bateria com ele.

Nos homens, assim que começaram a agir, não havia uma gota daquele sentimento de medo perceptível que havia sido expresso na noite anterior. Vlang sozinho não conseguia se controlar, ele se esquivou e se agachou como antes, e Vássin perdeu um pouco de sua compostura, ficou agitado e inquieto e mudou de lugar sem parar.

Mas Volódia estava em um extraordinário estado de entusiasmo, a ideia de perigo nem lhe ocorreu. O sentimento de alegria por ele estar cumprindo seu dever, que ele não era apenas um covarde, mas até mesmo um sujeito valente, a sensação de estar no comando e a presença de vinte homens, que, como ele sabia, o observavam com curiosidade, fizeram dele um homem completamente corajoso. Ele foi até vaidoso de seu valor, fingiu-se diante de seus soldados, subiu na banqueta e desabotoou o casaco expressamente para se tornar mais claramente visível.

O comandante do bastião, que percorria seu estabelecimento como dizia, naquele momento, acostumado como havia se tornado durante seus oito meses de experiência a todo tipo de bravura, não podia deixar de admirar este belo rapaz com casaco desabotoado, sob o qual se via uma camisa vermelha, envolvendo o pescoço macio e branco, com o rosto e os olhos animados, enquanto batia palmas e gritava: "Primeiro! Segundo!" E correu alegremente ao longo das muralhas, a fim de ver onde sua bomba cairia.

Às onze e meia o tiroteio cessou em ambos os lados, e precisamente às doze horas começou o assalto ao monte Malakhov, do segundo, terceiro e quinto bastiões.

XXIII

Deste lado da baía, entre Inkerman e as fortificações do norte, na colina do telégrafo, por volta do meio-dia, estavam dois homens da marinha. Um deles era um oficial que estava ocupado em observar Sebastopol através de um telescópio, e o outro havia acabado de chegar à estação de sinal.

O sol estava alto e brilhante acima da baía e brincava com os navios que flutuavam sobre ela, e com as velas e barcos em movimento, com um brilho quente e alegre. A brisa leve mal movia as folhas dos arbustos secos de carvalho que ficavam ao redor do poste de sinalização, soprava as velas dos barcos e agitava as ondas.

Sebastopol

Sebastopol, com sua igreja inacabada, suas colunas, sua linha de costa, seu bulevar verdejando contra a colina, seu elegante prédio de biblioteca, suas pequenas enseadas azuis cheias de mastros, com os arcos pitorescos de seus aquedutos e as nuvens de fumaça azul, era iluminada de vez em quando pelos clarões vermelhos das chamas do tiroteio. A mesma bela, orgulhosa e festiva Sebastopol, cercada de um lado por colinas amarelas coroadas de fumaça, do outro pelo mar azul brilhante, que brilhava ao sol, era visível como sempre, do outro lado da baía.

Sobre a linha do horizonte do mar, ao longo da qual flutuava uma longa coroa de fumaça preta de algum navio a vapor, rastejavam longas nuvens brancas, pressagiando um vendaval. Ao longo de toda a linha das fortificações, especialmente sobre as colinas à esquerda, erguiam-se colunas de uma fumaça espessa, densa e branca, uma fumaça repentina, abrupta e incessantemente iluminada por clarões e relâmpagos que brilhavam mesmo em meio à luz do meio-dia e que aumentavam constantemente de volume, assumindo diversas formas à medida que subiam e tingiam os céus. Essas baforadas de fumaça que piscam ora aqui, ora ali, nasceram nas colinas, nas baterias do inimigo, na cidade e no alto contra o céu. O som das descargas nunca cessou, mas sacudiu o ar com seu rugido misturado.

Ao meio-dia, as baforadas de fumaça começaram a ocorrer com cada vez menos frequência, e a atmosfera estremeceu menos com o rugido.

"O segundo bastião não responde mais", disse um oficial que estava sentado a cavalo. "Está totalmente destruído! Horrível!"

"Sim, e o Malakhov só manda um tiro para os três deles", respondeu o oficial que estava olhando pelo binóculo. "Enfurece-me tê-los em silêncio. Eles estão atirando diretamente na bateria Kornílovski, e ela não está respondendo."

"Mas você vê que eles sempre cessam o bombardeio ao meio-dia, exatamente como eu disse. É o mesmo hoje. Vamos tomar café da manhã, eles já estão esperando por nós. Não há mais nada para ver."

"Pare, não interfira", disse o oficial com o binóculo, olhando para Sebastopol com uma ansiedade peculiar.

"O que está acontecendo lá? O que é isso?"

"Há um movimento nas trincheiras e colunas pesadas estão marchando."

"Sim, isso é evidente", disse o outro. "As colunas estão em andamento. Devemos dar o sinal."

"Olhe, olhe! Eles emergiram das trincheiras."

Na verdade, era visível a olho nu que massas escuras desciam a colina atravessando o vale estreito, vindas das baterias francesas aos bastiões. Em frente a essas manchas, eram visíveis listras escuras, que já estavam próximas às nossas linhas. Nuvens brancas de fumaça de descargas irromperam em vários pontos dos baluartes, como se os tiros estivessem correndo ao longo da linha.

A brisa trazia para eles os sons de tiros de mosquete, trocados rapidamente, como chuva na vidraça. As listras negras se moveram, cada vez mais perto, na própria fumaça. Os sons de tiros ficaram cada vez mais altos, e se misturaram em um rugido prolongado e retumbante.

A fumaça, subindo cada vez com mais frequência, espalhou-se rapidamente ao longo da linha, fluindo em uma nuvem lilás que se dispersou e se uniu novamente, e através da qual, aqui e ali, chamas e pontos negros esvoaçavam, e todos os sons se misturavam em um estrondo reverberante.

"Um assalto", disse o oficial, com o rosto pálido, enquanto entregava o copo ao oficial da marinha.

Oficiais a cavalo galopavam ao longo da estrada, o comandante-chefe liderando-os, e sua comitiva parou. Profunda emoção e expectativa eram visíveis em todos os semblantes.

"Não pode ser que eles tenham levado!", exclamou o oficial montado.

"Pelos céus, esse é o padrão! Olhe, olhe!", disse o outro, suspirando e abandonando o copo. "O padrão francês no Malakhov!"

"Não pode ser!"

XXIV

O velho Kozéltsov, que conseguira recuperar seu dinheiro e perder tudo de novo naquela noite, inclusive as moedas de ouro costuradas em seus punhos, havia caído, pouco antes do amanhecer, em um sono pesado, insalubre e profundo no quartel fortificado do quinto batalhão, quando o grito fatídico, repetido por várias vozes, soou:

"O alarme!"

"Por que você está dormindo, Mikhaíl Semiónitch? Há um assalto!", uma voz gritou para ele.

"Provavelmente é algum colegial", disse ele, abrindo os olhos, mas sem acreditar.

Mas de repente ele avistou um oficial correndo sem rumo de um canto ao outro, com um rosto tão pálido que ele entendeu tudo. O pensamento de que poderia ser tomado por um covarde que não desejava sair para sua companhia em um momento crítico o atingiu com uma força terrível. Ele correu para junto dos demais no máximo de sua velocidade. Os tiros dos canhões pesados haviam cessado, mas o estrondo dos mosquetes estava no auge. As balas assobiavam, não individualmente como balas de fuzil, mas em enxames, como um bando de pássaros no outono, voando por cima. Todo o local em que seu batalhão estivera na noite anterior estava coberto de fumaça, e os gritos e ameaças do inimigo eram audíveis. Soldados, feridos e ilesos, o encontraram em multidões. Depois de correr trinta passos adiante, ele avistou sua companhia, que estava encostada na parede.

"Eles capturaram Schwartz!", informou um jovem oficial. "Tudo está perdido!"

"Absurdo!", disse ele, com raiva, agarrando sua pequena espada de ferro sem corte, e começou a gritar:

"Avante, crianças!"

Sua voz era tão forte e retumbante que despertou até o próprio Kozéltsov. Ele correu ao longo da travessa e cinquenta soldados correram atrás dele, gritando enquanto o acompanhavam. Da travessa ele saiu correndo para uma praça aberta. As balas caíram literalmente como granizo. Duas o atingiram, mas onde e o que fizeram, se o machucaram ou o feriram, ele não teve tempo de avaliar.

Na frente, ele já podia ver uniformes azuis e calças vermelhas, e podia ouvir gritos que não eram russos. Um francês estava de pé no parapeito, acenando com o boné e gritando alguma coisa. Kozéltsov estava convencido de que estava prestes a ser morto, e isso lhe deu coragem.

Ele correu sem parar. Alguns soldados o alcançaram, outros soldados apareceram de um lado, também correndo. Os uniformes azuis permaneceram à mesma distância dele, fugindo para suas próprias trincheiras, mas sob seus pés estavam os mortos e feridos. Quando ele correu para a vala mais externa, tudo ficou confuso diante dos olhos de Kozéltsov, e ele sentiu uma dor no peito.

Meia hora depois, estava deitado em uma maca, perto do quartel de Nikolaievski, e sabia que estava ferido, embora quase não sentisse dor. Tudo o que ele queria era algo refrescante para beber e poder ficar deitado em paz.

Um doutorzinho gorducho de bigodes pretos aproximou-se dele e desabotoou seu casaco. Kozéltsov olhou por cima do queixo para o que o médico estava fazendo com seu ferimento e para o rosto do médico, mas não sentiu dor. O médico cobriu o ferimento com a camisa, enxugou os dedos na barra do casaco e, sem dizer uma palavra nem olhar para o ferido, foi procurar outro.

Os olhos de Kozéltsov notaram mecanicamente o que se passava diante dele e, lembrando-se de que estivera no quinto bastião, pensou, com um extraordinário sentimento de autossatisfação, que havia cumprido bem seu dever e que, pela primeira vez em todo o seu serviço, ele se comportou tão bem quanto era possível para qualquer um, e não tinha nada para se censurar. O médico, depois de enfaixar o ferimento do outro oficial, apontou para Kozéltsov e disse algo a um padre, de enorme barba ruiva e cruz, que estava por perto.

"O que significa isso? Estou morrendo?", Kozéltsov perguntou ao padre quando este se aproximou dele.

O padre, sem responder, recitou uma oração e entregou a cruz ao ferido.

A morte não tinha terrores para Kozéltsov. Ele agarrou a cruz com as mãos fracas, apertou-a contra os lábios e desatou a chorar.

"Bem, os franceses sentiram repulsa?", perguntou ao padre, em tom firme.

"A vitória permaneceu conosco em todos os pontos", respondeu o padre, para confortar o ferido, ocultando-lhe o fato de que o estandarte francês já havia sido desfraldado no monte Malakhov.

Sebastopol

"Graças a Deus!", disse o ferido, sem sentir as lágrimas que lhe escorriam pelas faces.

O pensamento de seu irmão ocorreu em sua mente por um único instante. "Que Deus lhe conceda a mesma boa sorte", disse a si mesmo.

XXV

Mas o mesmo destino não esperava Volódia. Ele estava ouvindo uma história que Vássin estava contando para ele quando ouviu um grito: "Os franceses estão chegando!" O sangue fugiu por um momento diretamente para o coração de Volódia, e ele sentiu suas bochechas ficarem frias e pálidas. Por um segundo ele permaneceu imóvel, mas, ao olhar em volta, percebeu que os soldados estavam abotoando os casacos com uma equanimidade tolerável e saindo rastejando, um após o outro. Um deles, provavelmente Mélnikov, até comentou em tom de brincadeira:

"Saiam e ofereçam-lhes o pão e o sal da hospitalidade, crianças!"

Volódia, em companhia de Vlang, que nunca se separou dele nem por um passo, rastejou para fora do alojamento à prova de bombas e correu para a bateria.

Não havia nenhum disparo de artilharia em andamento em nenhum dos lados. Não foi tanto a visão da compostura dos soldados que despertou sua coragem, mas a covardia lamentável e indisfarçável de Vlang. "É possível que eu seja como ele?", ele questionou a si mesmo, e correu alegremente até os parapeitos, perto dos quais seus morteiros estavam. Ficou claro para ele que os franceses estavam indo direto para eles através de um espaço aberto, e que massas deles, com suas baionetas brilhando ao sol, estavam se movendo nas trincheiras mais próximas.

Um sujeito baixo, de ombros largos, completamente uniformizado e armado com uma espada, correu na frente e saltou a vala.

"Tiro de metralhadora de fogo!", gritou Volódia, apressando-se da banqueta, mas os soldados já haviam feito seus preparativos sem esperar suas ordens, e o som metálico do tiro de metralhadora que eles dispararam chiou sobre sua cabeça, primeiro de um e depois do outro morteiro.

"Primeiro! Segundo!", ordenou Volódia, correndo de um morteiro para o outro, totalmente alheio ao perigo.

De um lado, e bem perto, ouviu-se o estrondo dos mosquetes dos nossos homens abrigados e gritos ansiosos.

De repente, um grito de desespero, repetido por várias vozes, foi ouvido à esquerda: "Eles estão nos cercando! Eles estão nos cercando!"

Volodia olhou em volta ao ouvir esse grito. Vinte franceses apareceram na retaguarda. Um deles, um homem bonito de barba preta, estava na frente de todos, mas, depois de correr até dez passos da bateria, ele parou e atirou direto em Volódia, e então correu em direção a ele mais uma vez.

Por um segundo, Volodia ficou parado como se tivesse se transformado em pedra e não acreditou em seus olhos. Quando ele se recuperou e olhou em volta, havia uniformes azuis à sua frente nas muralhas, dois franceses estavam até cravando um canhão a menos de dez passos dele.

Não havia ninguém perto dele, com exceção de Mélnikov, que havia sido morto por uma bala ao seu lado, e Vlang, que, com um alfinete na mão, correu para a frente, com uma expressão de ira no rosto.

"Siga-me, Vladímir Semyónitch! Siga-me!", gritou a voz desesperada de Vlang enquanto brandia a alavanca de mão sobre os franceses que vinham pela retaguarda. O semblante feroz do junker os assustou. Ele golpeou aquele que estava adiantado na cabeça, o que fez com que os outros parassem involuntariamente, e Vlang continuou a olhar à sua volta e a gritar em tom desesperado: "Siga-me, Vladímir Semyónitch! Por que você está aí parado? Corra!" E correu para as trincheiras em que estava nossa infantaria, atirando contra os franceses. Depois de pular na trincheira, ele saiu novamente para ver o que seu adorado alferes estava fazendo. Algo em um casaco estava prostrado onde Volódia estivera parado, e todo o lugar estava cheio de franceses, que estavam atirando em nossos homens.

XXVI

Vlang encontrou sua bateria na segunda linha de defesa. Dos vinte soldados que estavam na bateria de morteiros, apenas oito sobreviveram.

Às nove horas da noite, Vlang partiu com a bateria em um vapor carregado de soldados, canhões, cavalos e feridos, para Sévernaia.

Não houve disparo em lugar nenhum. As estrelas brilhavam no céu assim como na noite anterior, e um vento forte sacudia o mar. No primeiro e no segundo bastiões, relâmpagos brilharam sobre a terra, explosões

Sebastopol

rasgaram a atmosfera e iluminaram estranhos objetos negros em sua vizinhança, e pedras voaram pelos ares.

Algo estava queimando perto das docas, e o brilho vermelho se refletia na água. A ponte, coberta de pessoas, foi iluminada pelo fogo da bateria Nikoláevski. Uma imensa chama parecia pairar sobre a água, vinda do distante promontório da bateria de Alexándrovski, e iluminava as nuvens de fumaça abaixo enquanto subia acima deles, e as mesmas luzes tranquilas, insolentes e distantes da noite anterior brilhavam sobre o mar vindas da frota hostil.

A brisa fresca levantou ondas na baía. À luz vermelha das conflagrações e os mastros de nossos navios afundados que se afundavam cada vez mais na água eram visíveis. Nenhum som de conversa foi ouvido no convés, não havia nada além do zunido regular das ondas sendo quebradas, do vapor, dos relinchos e patas dos cavalos, das palavras de comando do capitão e dos gemidos dos feridos. Vlang, que não tinha comido nada o dia todo, tirou um pedaço de pão do bolso e começou a mastigá-lo, mas de repente ele se lembrou de Volódia e caiu em um pranto tão alto que os soldados que estavam perto dele ouviram.

"Veja como nosso Vlanga está comendo seu pão e chorando também", disse Vássin.

"Maravilhoso!", disse outro.

"E veja, eles demitiram nosso quartel", continuou ele, com um suspiro. "E quantos de nossos irmãos morreram ali, e os franceses conseguiram de graça!"

"De qualquer forma nós saímos vivos, e graças a Deus por isso!", exclamou Vássin.

"Mas é provocante, mesmo assim!"

"O que há de provocante nisso? Você acha que eles estão se divertindo lá? Não exatamente! Espere, nossos homens vão tirá-lo deles novamente. E por mais que muitos de nossos irmãos pereçam, como Deus é santo, se o imperador ordenar, eles o recuperarão. Os nossos podem deixá-los assim? Nunca! Lá você tem as paredes nuas, mas destruíram todos os parapeitos. Mesmo que tenham plantado seu estandarte na colina, não conseguirão entrar na cidade."

"Esperem só, vamos ter um acerto de contas com vocês ainda, só nos deem tempo", concluiu ele, dirigindo-se aos franceses.

"Claro que vamos!", disse outro, com convicção.

Ao longo de toda a linha de baluartes de Sebastopol, que por tantos meses fervilhava de vida extraordinariamente vigorosa, que por tantos meses vira heróis moribundos serem aliviados um após o outro pela morte, e que por tantos meses despertaram o terror, o ódio e finalmente a admiração do inimigo, nos baluartes de Sebastopol não havia mais um único homem. Tudo estava morto, selvagem, horrível, mas não silencioso.

A destruição ainda estava em andamento. Sobre a terra, sulcada e espalhada pelas explosões recentes, jaziam carruagens curvadas, esmagando os corpos dos russos e do inimigo, pesados canhões de ferro silenciados para sempre, bombas e balas de canhão arremessadas com força horrível em covas e meio enterradas no solo, depois mais cadáveres, fossos, estilhaços de vigas, aposentos à prova de bombas e ainda mais corpos silenciosos em casacos das cores cinza e azul. Todos estes ainda eram frequentemente sacudidos e iluminados pelo brilho carmesim das explosões que continuavam a chocar o ar.

O inimigo percebeu que algo incompreensível estava acontecendo naquela Sebastopol ameaçadora. Aquelas explosões e o silêncio mortal nos baluartes os fizeram estremecer, mas eles ainda não ousavam acreditar, ainda sob a influência da calma e vigorosa resistência do dia, que seu invencível inimigo havia desaparecido, e eles aguardavam imóveis e em silêncio o fim daquela noite sombria.

O exército de Sebastopol, como o mar sombrio e revolto, trêmulo em toda a sua massa, vacilante, lavrando a baía, a ponte e as fortificações do norte, movia-se lentamente pela escuridão impenetrável da noite, do lugar onde havia deixado tantos de seus bravos irmãos, do lugar todo impregnado de seu sangue, do lugar que havia defendido por onze meses contra um inimigo duas vezes mais poderoso que ele, e que agora foi ordenado a abandonar sem uma batalha.

A primeira impressão produzida em cada russo por esse comando foi inconcebivelmente triste. O segundo sentimento era o medo de perseguição. Os homens sentiram-se indefesos assim que abandonaram os lugares em que costumavam lutar e se amontoaram inquietos no escuro, na entrada da ponte que balançava na brisa forte.

Sebastopol

A infantaria avançou com um choque de baionetas e uma multidão de regimentos, equipagens e armas. Os oficiais de cavalaria desfilavam com ordens, os habitantes e os militares que acompanhavam a bagagem choravam e pediam permissão para atravessar, enquanto a artilharia, na pressa de desembarcar, abria caminho para a baía com um estrondo de rodas.

Apesar das diversões criadas pelas variadas e ansiosas demandas de sua atenção, o instinto de autopreservação e o desejo de escapar o mais rápido possível daquele terrível lugar de morte estavam presentes em todas as almas. Esse instinto existia também em um soldado mortalmente ferido, que jazia entre os outros quinhentos feridos, no pavimento de pedra do cais Pávlovski, e rezou para que Deus enviasse a morte. Existia também no miliciano, que com as últimas forças que lhe restavam se pressionou contra a multidão compacta para dar passagem a um general que passava. No general encarregado do transporte, que se ocupava em conter a pressa dos soldados; no marinheiro, que se enredara no batalhão em movimento, e que, esmagado pela multidão, perdera o fôlego; no oficial ferido que estava sendo carregado em uma liteira por quatro soldados, que, parado pela multidão, colocou-o no chão pela bateria de Nikoláevski; no artilheiro que serviu sua arma por dezesseis anos, e que, por ordem de seu superior, para ele incompreensível, para jogar ao mar as armas, tinha, com a ajuda de seus camaradas, a enviado através da margem íngreme para a baía, e, finalmente, nos homens da frota que acabavam de fechar as vigias dos navios e remavam vigorosamente em seus barcos. Ao pisar na outra extremidade da ponte, quase todos os soldados tiraram o boné e se benzeram.

Mas por trás desse instinto havia outro, opressivo e muito mais profundo, existindo junto a ele: era um sentimento que lembrava arrependimento, vergonha e ódio. Quase todos os soldados, ao contemplar a abandonada Sebastopol, da costa norte, suspiraram com inexprimível amargura no coração e ameaçaram o inimigo.

CONFIRA NOSSOS LANÇAMENTOS AQUI!

Dados Internacionais de Catalogação na Publicação (CIP)
de acordo com ISBD

T654s   Tolstói, Leon

Sebastopol / Leon Tolstói. – Barueri, SP :
Garnier, 2022.
128 p. ; 15,1cm x 23cm.

ISBN: 978-65-84956-20-9

1. Literatura russa. 2. Romance. I. Título.

2022-3700   CDD 891.7
                                             CDU 821.161.1

Elaborado por Odilio Hilario Moreira Junior - CRB-8/9949